P9-CRE-512

ACTES SUD-PAPIERS
Fondateur : Christian Dupeyron
Editorial : Claire David

Leméac Éditeur remercie le ministère du Patrimoine canadien, le Conseil des arts du Canada, la Société de développement des entreprises culturelles du Québec (SODEC) et le Programme de crédit d'impôt pour l'édition de livres du Québec (Gestion SODEC) du soutien accordé à son programme de publication.

Illustration de couverture : Egon Schiele, *Femme en blouse verte avec manchon*, 1915

ISBN 978-2-7609-2716-2

ISSN 0298-0592 ISBN 978-2-7427-7123-3

ALBERTINE, EN CINQ TEMPS

Michel Tremblay

À François Barbeau

PERSONNAGES

Albertine à trente ans
Albertine à quarante ans
Albertine à cinquante ans
Albertine à soixante ans
Albertine à soixante-dix ans
Madeleine, sœur d'Albertine

Albertine à trente ans est assise sur la galerie de la maison de sa mère, à Duhamel, en 1942.
Albertine à quarante ans se berce sur le balcon de la rue Fabre, en 1952.
Albertine à cinquante ans est accoudée au comptoir du restaurant du parc Lafontaine, en 1962.
Albertine à soixante ans rôde autour de son lit, en 1972.
Albertine à soixante-dix ans vient d'arriver dans un centre d'accueil pour vieillards, en 1982.
Madeleine n'a pas d'âge. Elle sert de confidente aux cinq Albertine.

Albertine à soixante-dix ans entre dans sa chambre, au centre d'accueil pour vieillards.
Elle parle par petites phrases hachées, presque chantantes. Elle a ce ton d'insouciance de ceux qui reviennent de très loin. C'est une vieille toute menue, presque trottinante.

ALBERTINE À 70 ANS. Tant qu'à ça, y'ont ben raison… J'vas être ben mieux… Ben mieux. C'est ben pour dire, hein… On m'aurait dit ça y'a un an… *(Elle passe la main sur le lit.)* Le lit est un peu dur… mais moins qu'à l'hôpital. Pis les draps ont l'air propres. *(Elle va fermer la porte.)* J'sais pas si j'vas m'habituer à c'te senteur-là, par exemple. *(Elle revient vers le lit.)* J'vas mettre ma télévision là… Comme ça quand j'vas m'asseoir dans ma chaise j'vas voir comme faut. Tant qu'à ça, c'est ben pensé. C'est p'tit, mais c'est ben pensé. C'est leur métier, hein, de toute penser ça comme faut !

Elle pose son sac à main sur le lit, enlève son manteau qu'elle plie soigneusement avant de l'étendre à côté de son sac. Elle tire un peu sur sa jupe.

Bon, j'vas être plus à l'aise comme ça. Après toute, chus chez nous, à c't'heure, ici ! *(Elle s'installe dans sa chaise.)* C'est la première chose que j'ai essayée quand chus venue visiter la place. C'est aussi important que le lit, une bonne chaise berçante !

Elle se berce quelques instants.
Albertine à trente ans sort sur la galerie de la maison de sa mère, à Duhamel. Elle est un peu ronde, mais très belle. Elle porte une petite robe d'été très 1940.
Elle s'assoit dans une chaise berçante et se berce au même rythme qu'Albertine à soixante-dix ans.
Cette dernière l'aperçoit et arrête de se bercer en poussant un petit cri de surprise.
Elles se regardent en souriant. Albertine à trente ans fait un geste de la main.
Albertine à soixante-dix ans se donne un bon élan et se remet à se bercer.

ALBERTINE À 70 ANS. Je reviens de ben loin. Y'a six mois, j'tais morte. C'est vrai ! Y m'ont défoncé trois côtes pour me ranimer. *(Elle rit.)* C'est fou, hein ? Chaque fois que j'parle de ça, j'peux pas m'empêcher de rire. C'est pourtant pas drôle. Tant qu'à ça, vaut mieux en rire que de me lamenter jusqu'à ma mort... ma deuxième mort... la bonne, j'espère ! *(Elle rit.)* Y'a pas grand-monde qui peuvent se vanter d'être morte deux fois, non, certain ! C'est vrai qu'après ma deuxième mort j's'rai peut-être pas là pour le conter non plus ! On doit pas r'venir de là plus qu'une fois, certain ! De toute façon, quand j'vas y retourner, j'vas être ben contente d'y rester ! J'ai pas envie de passer la fin de mes jours à voyager comme ça, j'ai jamais été plus loin que Duhamel, dans ma vie !

Elle regarde Albertine à trente ans, qui rit à son tour.
Cigarette au bec, Albertine à quarante ans s'installe sur son balcon de la rue Fabre.
Elle est un peu plus grasse qu'à trente ans. Son visage est plus dur. Elle porte de vieux vêtements malhabilement rafraîchis.
Au même moment, joviale, chantonnante et maigre comme un barreau de chaise, Albertine à cinquante ans s'installe à son comptoir.

Elle porte une robe cintrée et ses cheveux sont teints en noir. Elle s'est apporté un sandwich aux tomates toasté salade mayonnaise qu'elle mange goulûment.
Albertine à soixante-dix ans la regarde faire tout en se berçant.
Albertine à trente ans, elle, semble perdue dans ses pensées.

ALBERTINE À 70 ANS. Quand j'me sus réveillée pis que j'me sus vue avec mes tubes, pis mes pansements, pis mes transfusions… c'est pas mêlant… j'ai eu envie de r'tourner d'où j'arrivais ! Pis quand y m'ont dit que j'en aurais pour des mois pis des mois à me traîner pis à souffrir…

Albertine à soixante ans arrive, courbée, vieillie, pâle. Elle se dirige vers sa table de chevet, prend une pilule dans un contenant en plastique sans même vérifier l'étiquette.
Albertine à soixante-dix ans pousse un soupir d'exaspération et bouge sa chaise pour pouvoir lui tourner le dos. Albertine à soixante ans la regarde, hausse les épaules, s'installe sur son lit en se berçant d'une fesse sur l'autre. Les cinq Albertine restent silencieuses quelques instants.

ALBERTINE À 70 ANS. Tant qu'à ça, à c't'heure, chus ben contente d'être revenue de tout ça. *(Les quatre autres la regardent.)* Parce que ça va mieux. Parce que chus tranquille. Parce que j'vas être bien, ici. *(Court silence.)* Même si ça sent pas bon.

Madeleine sort sur la galerie de la maison de Duhamel.

LES CINQ ALBERTINE *(en alternance)*. Ha, Madeleine !

Madeleine sourit.

ALBERTINE À 70 ANS. Bonjour !

MADELEINE. Bonjour !

ALBERTINE À 70 ANS ET 30 ANS. Viens t'asseoir…

Madeleine s'assoit à côté de sa sœur, sur la galerie de la maison de Duhamel.

MADELEINE. La nuit tombe vite, ici, hein ?

ALBERTINE À 30 ANS. J'avais jamais rien vu de si beau. *(Silence. Albertine à soixante-dix ans se penche un peu, comme pour mieux les entendre.)* Jamais. C'tait rouge, pis jaune, pis vert, dans le ciel... Pis ça changeait de couleur sans arrêter !

Silence.

ALBERTINE À 70 ANS *(visiblement émue).* La campagne...

ALBERTINE À 30 ANS. Le soleil est tombé comme une roche en arrière d'la montagne... Juste avant qu'y disparaisse complètement, les oiseaux ont arrêté de piailler. Complètement. On aurait dit que toute, pas rien que moi, que toute regardait le soleil tomber. En silence.

ALBERTINE À 70 ANS. Tu parles drôlement...

Albertine à trente ans se tourne vers elle.

ALBERTINE À 30 ANS. Quoi ?

ALBERTINE À 70 ANS. J'trouve que tu parles drôlement...

ALBERTINE À 30 ANS. Ha... C'est vrai que j'parle pas de la nature ben ben souvent... Mais si t'avais vu ça, c'était tellement beau ! Quand le soleil a eu disparu, les oiseaux, pis les criquettes, pis les grenouilles ont recommencé leur vacarme, tout d'un coup, comme si quelqu'un avait rallumé le radio ! *(Silence.)* En ville...

Silence.

ALBERTINE À 70 ANS. La campagne... Dieu que c'tait beau, c'te soir-là !

ALBERTINE À 30 ANS. En ville, on voit jamais ça...

ALBERTINE À 70 ANS. Oh, non... En ville, tout est gris hôpital...

ALBERTINE À 30 ANS. Des fois, en regardant par la fenêtre de la cuisine, j'vois ben que le ciel a l'air d'être jaune-orange, pis rose, pis jaune citron, mais les hangars m'empêchent de voir c'qui se passe, au juste...

ALBERTINE À 50 ANS. Moi, j'le vois.

ALBERTINE À 30 ANS. Pis j'ai pas le temps. En ville, j'ai jamais le temps pour ces affaires-là.

ALBERTINE À 50 ANS. J'le prends, moi, le temps ! *(Albertine à soixante-dix ans rit.)* C'est vrai ! Quand j'finis de travailler, des fois, le soir, à six heures... le parc Lafontaine est tellement beau !

ALBERTINE À 30 ANS. Pas comme à la campagne...

ALBERTINE À 50 ANS. Ben non, pas comme à la campagne, pis, qu'est-ce que ça fait ? La campagne, je l'ai vue une semaine dans ma vie ! C'est pas nécessaire de ramâcher ça jusqu'à la fin de mes jours ! Non, aujourd'hui, j'prends c'qui passe pis quand un beau grand ciel tout en couleur se présente à moi, j'm'arrête pis j'le regarde !

ALBERTINE À 70 ANS. Toi aussi, tu parles drôlement !

ALBERTINE À 50 ANS. Comment ça, j'parle drôlement ?

ALBERTINE À 70 ANS. J'sais pas... j'sais pas. On dirait que vous employez des mots que j'ai jamais employés...

ALBERTINE À 50 ANS. J'parle comme j'parle, c'est toute...

ALBERTINE À 30 ANS. C'est peut-être parce que tu t'en rappelles pas...

ALBERTINE À 70 ANS. Ayez pas peur... j'm'en rappelle... j'me rappelle de toute... J'ai rien que ça à faire, me rappeler, depuis quequ'mois... Mais y me semble... que j'ai jamais parlé beau, comme ça... mais continuez...

ALBERTINE À 50 ANS. Ben, ça va être difficile de continuer, là, si tu veux absolument qu'on parle mal !

ALBERTINE À 70 ANS. J'veux pas que vous parliez mal, c'est pas ça que j'ai dit...

Court silence.
Les trois Albertine se regardent.

Mais vous avez peut-être raison... J'ai tellement été élevée à me trouver laide que j'ai de la misère à penser que j'ai déjà dit des belles choses...

Court silence.

MADELEINE *(à Albertine à trente ans)*. J't'ai apporté du lait chaud. Ça va te calmer. Dans sa lettre, le docteur Sanregret, y dit de t'en donner avant de te coucher... Y'était un peu trop chaud, je l'ai laissé refroidir...

ALBERTINE À 30 ANS. Merci, t'es ben fine.

MADELEINE. Mais j'espère qu'y'est pas trop froid... Si y'est trop froid, y s'ra pas efficace. Si y'est trop froid, dis-lé, j'vas t'en faire chauffer d'autre...

ALBERTINE À 50 ANS. Madeleine !

MADELEINE. Oui ?

ALBERTINE À 50 ANS. Ça fait longtemps que j'bois pus ça, du lait ! À c't'heure, c'est le coke !

MADELEINE. T'en as peut-être pus besoin...

ALBERTINE À 70 ANS. Moi, j'en prends, des fois, avant de me coucher... pis j'pense toujours à toi, Madeleine... *(Elles se regardent toutes les deux.)* J'm'ennuie, tu sais...

ALBERTINE À 50 ANS *(en riant)*. Le lait, ça bloque... le coke, ça délivre !

ALBERTINE À 30 ANS. R'garde, Madeleine, y reste encore un peu de vert. Quand on le r'garde trop longtemps, y vire au bleu, mais quand on r'garde juste à côté, on voit ben que c'est du vert, du coin de l'œil.

Elle lève la tête complètement vers le ciel.

Albertine à cinquante et soixante-dix ans l'imitent.

ALBERTINE À 30, 50 ET 70 ANS. Y'a tellement d'étoiles dans le ciel !

ALBERTINE À 30 ANS. Pis y fallait que j'tombe ici, oùsque tout va mal !

MADELEINE. Où c'est que tu voulais tomber !

ALBERTINE À 30 ANS. Crois-tu ça, toi, qu'y'a d'autres mondes ?

ALBERTINE À 40 ANS. J'espère qu'y'a d'autres mondes, parce que celui-là est pas vargeux ! *(Les autres femmes la regardent.)* Que c'est que vous avez à me regarder comme ça ? Vous trouvez ça endurable, ici, vous autres ?

ALBERTINE À 60 ANS. Non, certain !

ALBERTINE À 70 ANS *(très brusquement)*. Toi, tais-toi !

ALBERTINE À 60 ANS. Qu'est-ce qu'y'a ?

ALBERTINE À 70 ANS. J'veux pas t'entendre, c'est toute...

ALBERTINE À 50 ANS. Pourquoi tu y parles comme ça ?

ALBERTINE À 70 ANS. Laisse faire ! Finis ta sandwich !

ALBERTINE À 50 ANS. Je l'ai finie, ma sandwich !

ALBERTINE À 70 ANS. Ben finis ton coke !

ALBERTINE À 50 ANS. Je l'ai fini, mon coke !

ALBERTINE À 60 ANS. Finissez donc de vous chicaner ! Chus fatiquée, moi...

Albertine à soixante-dix ans se retourne vers elle pour la première fois.

ALBERTINE À 70 ANS. Si tu te fermes pas...

ALBERTINE À 60 ANS. Qu'est-ce que tu peux faire, hein ?

ALBERTINE À 70 ANS. C'est vrai, j'peux rien faire. La preuve, c'est que t'es là !

Albertine à soixante ans se mouche.

ALBERTINE À 60 ANS. Tout le monde m'haït !

ALBERTINE À 70 ANS. Y'a de quoi !

ALBERTINE À 50 ANS. Arrête donc d'y parler comme ça !

ALBERTINE À 70 ANS. Ça paraît que tu l'as pas connue, toi !

Elle regarde Albertine à soixante ans pendant quelques secondes.

Quelle pitié !

ALBERTINE À 40 ANS. En tout cas, quand y vont annoncer leu'premier voyage su'a'lune ou ben donc dans le soleil, là, j'vas me prendre un ticket aller simple, j'vas préparer ma p'tite valise, pis j'vas être ben en s'il vous plaît !

Albertine à trente et cinquante ans et Madeleine rient.

ALBERTINE À 50 ANS. Veux-tu ben me dire que c'est que tu irais faire dans'lune, pour l'amour !

ALBERTINE À 40 ANS. J'sais pas c'que j'irais faire mais j'sais en maudit c'que j'laisserais ici, par exemple !

ALBERTINE À 30 ANS. J'sais pas si y vont finir par y aller, dans'lune, un jour...

MADELEINE. Y'a personne, dans'lune, de toute façon...

ALBERTINE À 40 ANS. Tant mieux pour elle !

ALBERTINE À 70 ANS. Oui, y vont y aller... mais ça changera pas grand-chose pour nous autres...

ALBERTINE À 60 ANS. C'toute des folies, ça... Y nous prennent-tu pour des épais ? J'les ai vus débarquer su'a'lune, à la télévision... Voir si ça se peut !

ALBERTINE À 50 ANS. Si y l'ont montré...

ALBERTINE À 60 ANS. Faut pas toute croire c'qu'y nous montrent, t'sais !

ALBERTINE À 40 ANS. Tant qu'à ça...

ALBERTINE À 60 ANS. Qui c'est qui était là pour les filmer, hein ? On les voyait, tou'es deux, qui gambadaient comme des gazelles... y'en avait pas de troisième pour les filmer ! Comment ça se fait qu'on pouvait les voir !

ALBERTINE À 30 ANS. Y'avaient peut-être des kodaks automatiques...

ALBERTINE À 60 ANS. Des kodaks ? T'es ben ancienne, donc, toi ! Y'ont des grosses affaires de caméras, à c't'heure, tu devrais voir ça... Y'ont jamais pu transporter ça su'a'lune, jamais dans cent ans !

ALBERTINE À 70 ANS. Arrête donc de dire des niaiseries...

ALBERTINE À 60 ANS. Tu les crois, toi ?

ALBERTINE À 70 ANS. Oui... à c't'heure, j'les crois...

ALBERTINE À 60 ANS. Que c'est qui t'a faite changer d'idée ?

ALBERTINE À 70 ANS. J'ai ben changé... J'ai lu. A c't'heure que j'vois clair avec mes lunettes neuves, j'm'informe pis j'comprends des affaires... *(Albertine à soixante ans hausse les épaules.)* Ben oui, c'est ça, hausse les épaules au lieu de réfléchir, c'est toute c'que t'es capable de faire !

ALBERTINE À 60 ANS. En tout cas, moi, quand y montrent leurs affaires de voyage dans'lune pis dans les étoiles, à la télévision, j'change de poste ! C'est pas mêlant, j'pense que j'aime mieux les cartoons pis j'ai toujours haï ça ! Y'a toujours ben un boute à ambitionner su'l'monde ! Pis si c'est mon argent qu'y veulent, y vont attendre longtemps ! J'vous dis qu'y va faire beau avant que j'leur fournisse de quoi construire des décors pis des costumes de scaphandriers pour continuer de nous faire accroire qu'y'explorent d'autres planètes pour le bien de l'humanité ! Y'a pas assez de misère, ici; faut qu'y'aillent en chercher ailleurs ! J'vas attendre mon premier chèque de pension sur le pas de ma porte pis y'en a pas un maudit qui va y toucher !

ALBERTINE À 40 ANS. Tant qu'à ça, trop tu-seule, ça serait pas mieux qu'avec trop de monde ! Pis y doit faire froid, su'a' lune. J'aime pas ça, avoir froid...

ALBERTINE À 50 ANS. T'aimes pas grand-chose, à c'que j'peux voir...

ALBERTINE À 40 ANS. J'aime rien, nuance !

ALBERTINE À 30 ANS *(perdue dans ses pensées)*. J'resterais comme ça, à me bercer... *(Elle sourit ironiquement.)* Ça sert à rien de dire jusqu'à quand, hein, ça serait niaiseux.

MADELEINE. Reste plus longtemps... On est ici jusqu'en septembre. On rentre pas à Montréal avant la fête du travail. Mon oncle Roméo a accepté de nous laisser la maison jusqu'à la fin des vacances des enfants. Ensuite, y va la fermer pour l'hiver.

ALBERTINE À 30 ANS. C'est pas un coucher de soleil ou deux de plus qui vont changer ma vie... De toute façon, quand j'vas revenir à'maison, j'le reverrai pus...

ALBERTINE À 50 ANS. Prends-lé pendant qu'y passe...

ALBERTINE À 30 ANS. J'peux quand même pas passer ma vie à regarder le soleil mourir en arrière d'une montagne !

ALBERTINE À 50 ANS. Pourquoi pas...

ALBERTINE À 30 ANS. Si t'as tant de loisirs, toi, tant mieux pour toi... moi, j'en ai pas pantoute ! La rue Fabre m'attend !

ALBERTINE À 40 ANS *(au bord des larmes)*. La rue Fabre, les enfants, le reste de la famille... bâtard que chus tannée...

ALBERTINE À 30 ANS. Les enfants, le reste de la famille...

ALBERTINE À 60 ANS. On s'en sacre, du reste de la famille !

ALBERTINE À 70 ANS. Les enfants... Dieu sait où y sont, aujourd'hui... Tant qu'à ça... j'sais où y sont, moi aussi... Je le sais trop bien !

MADELEINE *(après un silence)*. Entends-tu ?

ALBERTINE À 70 ANS. J'ai survécu à tout le monde... pis c'est même pas intéressant.

MADELEINE. Des engoulevents. On les entend tous les soirs.

ALBERTINE À 50 ANS. J'ai vu un mariage d'oiseaux, tout à l'heure.

ALBERTINE À 30 ANS. Y'avaient tellement l'air d'avoir du fun !

ALBERTINE À 40 ANS. J'pense que c'tait des hirondelles...

ALBERTINE À 30 ANS. ... mais chus pas sûre... J'connais pas ça, les oiseaux. Mais y'étaient bleus... pis y'avaient les ailes rondes.

ALBERTINE À 40 ANS. Ça se peut-tu, vous pensez ? Y'en a-tu des hirondelles, en ville ? Y me semble que c'est des oiseaux de campagne, les hirondelles...

ALBERTINE À 60 ANS. On s'en sacre, des hirondelles !

Albertine à trente ans prend une grande respiration.

ALBERTINE À 30 ANS. Ça sent tellement bon que ça fait mal !

ALBERTINE À 70 ANS. Respire encore... *(Albertine à trente ans prend une autre grande respiration.)* Explique-moi... explique-moi c'que ça sent...

ALBERTINE À 30 ANS. J'pourrais pas te dire... j'ai pas les mots pour t'expliquer ça... c'est trop bon !

Madeleine se lève, se dirige vers Albertine à soixante-dix ans qui la regarde intensément.

MADELEINE. Ça sent le foin fraîchement coupé... la bouse de vache, aussi, mais juste un peu... juste pour dire... ça sent toutes les fleurs qui lancent leurs parfums avant de s'endormir... ça sent l'eau, la vase, la terre mouillée... ça sent le vert. T'sais, comme au parc Lafontaine quand y viennent de couper le gazon... Des fois, t'es au beau milieu d'une senteur pis tout d'un coup, juste parce que t'as bougé la tête un p'tit peu, ça change... quequ'chose d'autre te rentre par les narines pis t'es tellement surprise que t'arrêtes de respirer pour pas le perdre... mais c'est déjà parti pis une autre senteur l'a remplacé... Tu peux t'asseoir des grandes soirées de temps sur la galerie pis compter, oui compter, le nombre de senteurs différentes qui sont venues te visiter. *(Silence.)* Ça sent la vie.

Albertine à soixante-dix ans a caché sa bouche derrière sa main pour s'empêcher de pleurer.

ALBERTINE À 70 ANS. À l'hôpital, ça sentait tellement les remèdes que les autres senteurs étaient comme... cachées, j'dirais. Excepté quand quelqu'un était malade dans'chambre, mais ça, que c'est que tu veux... y'étaient toutes malades comme moi, hein, tant qu'à ça... Moi aussi, des fois, au commencement... j'devais pas sentir ben ben bon... mais j'm'excusais, par exemple ! Ça, y pouvaient pas dire que j'tais pas polie ! Les autres... Ben, y'en avait pas mal qui étaient confuses, hein... Y m'avaient mis à l'étage des confus, j'ai jamais compris pourquoi... moi qui a toujours ma tête... En tout cas... Les senteurs finissaient toujours par disparaître en dessous des médicaments ou ben donc de l'eau de Javel... Parce que c'tait ben propre, ça, j'avais rien à dire là-dessus ! Mais ici... Quand chus venue visiter, la première fois, j'ai pensé... j'sais pas... que ça sentait fade, comme ça, parce que quelqu'un venait d'être malade... Mais ça sentait encore la même chose quand chus revenue, tout à l'heure. Pourtant, ça a l'air propre, ici aussi. *(Elle semble prise d'une panique soudaine.)* D'un coup que ça sent toujours ça ! *(Après un court silence.)* Mais j'suppose qu'à force de rester dedans, j'le sentirai pus !

Madeleine lui tend la tasse de lait.

MADELEINE. Bois. Bois ton lait. Y va refroidir.

Albertine à soixante-dix ans prend la tasse, boit.

ALBERTINE À 70 ANS. Ça goûte la campagne.

MADELEINE. Tu vas mieux dormir, à soir.

ALBERTINE À 70 ANS. Oui. C'est mon premier soir, tu comprends, c'est normal que j'soye nerveuse...

MADELEINE. C'est du vrai lait de vache, pas comme en ville... L'habitant vient le porter tous les matins, avec d'la grosse crème épaisse, là, que la cuiller tient deboute tu-seule dedans !

Madeleine reprend la tasse.

ALBERTINE À 30 ANS. Tu peux le dire, que c'est pas comme en ville... Le lait que j'viens de boire, en ville, on appellerait déjà ça de la crème !

Madeleine revient vers Albertine à trente ans. Bouleversée, Albertine à soixante-dix ans la regarde s'éloigner.

ALBERTINE À 50 ANS. Ici, ça sent la patate frite ! Partout ! Tout le temps ! Tellement, que mon linge pis mes cheveux sentent la patate frite ! Mais avant de sortir, le soir, j'me parfume... J'sais pas comment on pourrait appeler ça, c'te mélange-là, mais moi j'aime ça ! J'sens bonne pis forte !

ALBERTINE À 40 ANS. Ici, ça sent le mélangeage de monde qui vont pas ensemble. Ça sent la chicane, pis l'hypocrisie, pis la jalousie, pis...

ALBERTINE À 60 ANS. C'est le renfermé que ça doit sentir, ici ! Mais j'ose pas ouvrir le châssis... J'ai trop peur d'attraper mon coup de mort... J'me sus enfermée dans la maison où chus venue au monde... même pas... dans une chambre de c'te maison-là... pour me protéger des senteurs du dehors. Y'a pus rien qui peut me toucher, j'ai perdu l'odorat.

ALBERTINE À 70 ANS. Ça sent la mort au compte-gouttes ! J'ai-tu passé à travers tant d'affaires juste pour en arriver là ?

Les autres la regardent.
Elle se mouche avec un kleenex.

Ça va aller mieux demain.

ALBERTINE À 60 ANS. Tu penses ?

ALBERTINE À 70 ANS. Oui, j'le pense !

Madeleine tend la tasse de lait à Albertine à trente ans, qui boit lentement.

ALBERTINE À 60 ANS. J'ai pus aucun souvenir, d'aucune senteur. Même pas celle des sapins qui m'avait tant étourdie quand j'étais arrivée à Duhamel. Toute ma vie, après, quand on parlait de senteur, j'me revoyais, debout sur la galerie, en train de me remplir les poumons de santé ! Aujourd'hui... *(Elle regarde Madeleine.)*... même si t'essayais de me décrire c'te senteur-là pendant des heures, j'm'en rappellerais pas.

ALBERTINE À 30 ANS. La vieille tasse de moman...

ALBERTINE À 70 ANS. Moman ?

MADELEINE. Est toute usée, toute tachée, mais pas ébréchée. On dirait que c't'une vieille tasse neuve.

ALBERTINE À 70 ANS. Qui c'est qui a parlé de moman ?

ALBERTINE À 30 ANS. C'est moi.

ALBERTINE À 70 ANS. Ça faisait tellement longtemps que j'avais pas pensé à elle !

ALBERTINE À 40 ANS. T'es ben chanceuse !

MADELEINE. Ça fait drôle de penser que notre mère est venue au monde ici, hein ?

ALBERTINE À 30 ANS. Oui. La maison est pleine d'elle, on dirait.

ALBERTINE À 40 ANS. En tout cas, moi, j'y pense ! J'peux pas faire autrement, je l'ai su'l'dos à'longueur de jour !

MADELEINE. Ça fait pourtant longtemps qu'est partie d'ici ! On'l'a jamais connue, ici, mais a'nous en a tellement parlé, de c'te maison-là, a's'en est tellement ennuyée qu'on dirait qu'y'a quequ'chose d'elle qui est resté ici pis qu'a'vient juste de partir... Des fois, j'ouvre une porte pis j'ai l'impression qu'a' vient de sortir de la pièce... J'ai envie de courir après elle... C'est fou, hein ?

ALBERTINE À 30 ANS. A'l'aurait jamais dû s'en aller en ville... On serait toutes des habitants, aujourd'hui, pis on serait tellement mieux ! *(Silence.)* Madeleine, j'veux pus retourner en ville !

ALBERTINE À 60 ANS. En ville... à'campagne... quelle différence !

ALBERTINE À 40 ANS. J'peux pus l'endurer... pis elle non plus.

ALBERTINE À 30 ANS. J'le sais que ça se peut pas, que mes enfants m'attendent même si y'ont peur de moi comme du Bonhomme Sept-Heures, que tout ça c'est juste une semaine de repos parce que chus fatiquée...

ALBERTINE À 40 ANS. Mais a'l'achève... pis c'est tant mieux.

ALBERTINE À 30 ANS. Mais chus tellement fatiquée, Madeleine !

ALBERTINE À 50 ANS *(à Albertine à quarante ans)*. C'est effrayant de dire des affaires de même de sa propre mère !

ALBERTINE À 30 ANS. Tellement !

ALBERTINE À 40 ANS. Oui, c't'effrayant. Mais j'le pense... pis t'as rien à dire.

ALBERTINE À 50 ANS. Comment ça j'ai rien à dire ! C'est ma mère, à moi aussi ! Je le sais que j'me sus battue avec elle jusqu'à sa dernière heure mais j'me rappelle pas d'avoir souhaité sa mort !

ALBERTINE À 40 ANS. Ben j'te le rappelle, là ! Quand a'va être disparue, on va être ben débarrassés, ici-dedans, toi la première !

ALBERTINE À 50 ANS *(retrouvant son agressivité d'antan)*. Mais comment tu fais pour dire des affaires de même !

ALBERTINE À 40 ANS *(même ton)*. Tu t'es pas sentie soulagée quand 'est partie ?

Silence.

ALBERTINE À 50 ANS. J'voudrais donc t'avoir jamais ressemblé !

ALBERTINE À 40 ANS. J'voudrais donc être sûre de jamais sentir la patate frite !

ALBERTINE À 60 ANS. Quand moman est morte, dans son sommeil, comme un p'tit oiseau, j'me sus sentie comme débalancée... *(Silence.)* Un trou. Un vide.

ALBERTINE À 50 ANS. Comme un manque...

ALBERTINE À 60 ANS. Oui, c'est ça, y me manquait quequ'chose... J'tournais en rond dans'maison... J'cherchais... Pis un jour j'me sus rendu compte que c'qui me manquait, c'taient ses bêtises ! A'm'avait toujours... nourrie... de ses bêtises... pis ça me manquait... parce qu'a'débloquait pus c'qu'y'avait en dedans de moi comme avant !

MADELEINE *(à Albertine à trente ans)*. Pense pus à tout ça, la ville, moman, tes problèmes. Profite de tes vacances. Vide ta tête. *(Silence.)* Finis ton lait.

Albertine à trente ans finit son lait d'une gorgée.

Albertine à soixante-dix ans fait le geste de porter la tasse à ses lèvres.

ALBERTINE À 70 ANS. T'as rapporté la tasse !

ALBERTINE À 60 ANS. Mais j'me sus arrangée pour le remplir, ce vide-là... J'ai pris la place de moman pis c'est Thérèse qui a hérité des bêtises...

Albertine à trente ans dépose la tasse par terre, se lève, s'étire.

ALBERTINE À 30 ANS. J'me demande comment j'vas faire pour dormir dans un vacarme pareil !

MADELEINE. C'est vrai qu'y font un maudit bruit, toute la gang ! Le pire, c'est les criquettes. Y'arrêtent pas de la nuit. Mais c'est drôle, c'est eux autres qui finissent par m'endormir...

Silence.

ALBERTINE À 40 ANS. A'pense que chus pas intelligente...

MADELEINE. Mais là, c'est les grenouilles qui me réveillent !

Albertine à trente ans sourit.

ALBERTINE À 40 ANS. A'l'a toujours pensé que j'étais pas intelligente, moman. Vous pensez toutes que chus pas intelligente, hein...

MADELEINE. Voyons donc, où c'est que t'as été chercher ça, encore !

ALBERTINE À 40 ANS. J'vous entends, t'sais... pis j'vous vois faire ! Pauv'Bartine par ci, a'l'a pas compris telle affaire, pis pauv'Bartine par là, c'est pas de sa faute, est tellement bouchée. *(Madeleine se déplace un peu vers Albertine à quarante ans.)* Chus peut-être pas une lumière, Madeleine, mais j'ai des oreilles pour entendre pis des yeux pour voir !

Madeleine est venue s'asseoir à côté d'Albertine à quarante ans.

MADELEINE. Tu sais comment c'que t'es, Bartine... Des fois, tu fais pis tu dis des affaires qu'on a ben de la misère à s'expliquer...

ALBERTINE À 40 ANS. J'ai un garçon pas normal pis une fille exaltée mais ça veut pas dire qu'y prennent ça de moi ! Mon mari aussi était là quand j'les ai faites, ces enfants-là ! On sait ben, lui, y vous intéresse pas, y'est disparu depuis longtemps, c't'un héros de guerre, y nous a faite honneur, ça fait qu'y peut pas être autrement que parfait ! Vous vous êtes arrangés pour vite oublier que c'était un épais ! C'tait lui le pas intelligent dans nous deux, Madeleine, pas moi ! Penses-tu que ça prenait pas un épais pour aller se faire tuer pour rien de l'autre bord ? Pis chus sûre qu'y'est allé se saprer devant les autres pour faire le fanfaron pis qu'y'est pas pantoute mort en héros mais en bouffon ! C'tait un bouffon, Madeleine, un bouffon ! Mais moi chus là, c'est ben plus facile de me juger !

MADELEINE. J'ai jamais dit que t'étais folle pis que t'étais exaltée pis que tes enfants avaient pris ça de toi...

ALBERTINE À 40 ANS. Voyons donc ! Vous avez toutes décidé ça depuis longtemps, vous autres, que j'étais pas intelligente ! C'est pas parce que j'comprends pas les affaires de la même façon que vous autres que ça veut dire que chus pas intelligente ! Y'a pas rien qu'une sorte d'intelligence ! Vous autres... vous autres, vous êtes intelligents avec votre tête pis vous voulez pas comprendre qu'on peut l'être... j'sais pas comment te dire ça, Madeleine... C'est pas ma tête qui marche, moi, c'est... mes instincts, on dirait... Des fois j'fais des affaires avant d'y penser, c'est vrai, mais c'est pas toujours mauvais, ça c'pas vrai ! Depuis que chus p'tite que j'vois le monde me regarder d'un drôle d'air quand j'parle parce que j'dis tout c'que j'pense comme j'le pense... Vous portez des jugements sur tout c'que j'dis mais vous vous entendez pas, des fois ! Y'a des fois où vous devriez avoir un peu moins de tête pis un peu plus de cœur ! Pis vous m'écoutez jamais, à part de ça ! Quand j'ouvre la bouche vous prenez tu-suite un air méprisant qui m'insulte assez ! Vous êtes tellement habitués à penser que j'ai pas d'allure que vous m'écoutez même pus !

MADELEINE. Pourquoi tu dis ça... que c'est que tu penses que j'fais, là...

ALBERTINE À 40 ANS. Tu m'enrages assez, des fois, Madeleine, avec tes petits airs supérieurs !

MADELEINE. Ah, recommence pas avec ça...

ALBERTINE À 40 ANS. On sait ben, moi, y faut que j'endure toute sans rien dire mais aussitôt que j'commence à dire quequ'chose à quelqu'un vous m'envoyez chier !

MADELEINE. Y'a pas moyen de parler avec toi, c'est pas de notre faute ! Tu te pompes aussitôt qu'on te dit quequ'chose pis tu fesses n'importe comment sans réfléchir !

ALBERTINE À 40 ANS. C'est ça, dis comme moman !

MADELEINE. J'le sais pas c'qu'a'dit, moman…

ALBERTINE À 40 ANS. Madeleine ! Tu me mens en pleine face ! *(Silence.)* Tu vois, tu peux rien me répondre…

MADELEINE. Que c'est que tu veux répondre à quelqu'un de têtu comme toi !

ALBERTINE À 70 ANS. Pauvre Madeleine… J't'en ai fait voir de toutes les couleurs, hein… mais j'sais pas si tu savais à quel point j't'aimais.

Madeleine la regarde.

MADELEINE. Non. On n'a jamais su si tu nous aimais ou si tu nous haïssais vraiment… Tu nous le disais tellement que tu nous haïssais ! À chacun son tour ou tout le monde ensemble… Des fois, y'a rien que ça qui venait de toi, on pouvait le sentir, on aurait presque pu le toucher !

ALBERTINE À 40 ANS. Si tu savais comme c'est dur de se sentir tu-seule dans une maison pleine de monde ! Le monde m'écoute pas ici-dedans parce que j'arrête pas de crier pis j'crie parce que le monde m'écoute pas ! J'dépompe pas du matin au soir ! À onze heures du matin chus déjà épuisée ! J'cours après Marcel pour le protéger pis j'cours après Thérèse pour l'empêcher de faire des bêtises plus graves que celles de la veille ! Pis j'crie après moman plus fort qu'a'crie après moi ! Chus tannée d'être enragée, Madeleine ! Chus trop intelligente pour pas me rendre compte que vous me méprisez pis chus pas assez prime pour vous boucher !

MADELEINE. Crie moins, Bartine ! Essaye de t'exprimer sur un ton un peu plus doux…

ALBERTINE À 40 ANS. J'peux pas… mon cœur déborde d'affaires tellement laides, si tu savais…

Silence.

ALBERTINE À 50 ANS. Ça va passer...

ALBERTINE À 60 ANS. Oui, mais ça va revenir...

ALBERTINE À 40 ANS. Pis quand j'te vois venir te pavaner ici avec ton mari qui a réussi pis tes enfants superbright !

Madeleine pose la main sur le bras de sa sœur.

MADELEINE. On a déjà parlé de tout ça... Tu le sais très bien que j'viens pas me pavaner, comme tu dis...

ALBERTINE À 40 ANS. Ben voyons donc ! Si vous êtes capables d'interpréter chacune de mes paroles pis chacun de mes gestes, moi aussi chus capable d'interpréter les vôtres ! Tu viens me promener ton bonheur sous le nez pour que j'le sente ben comme faut ! Ta plus vieille qui est toujours première à l'école parce que Thérèse est waitress dans un trou, pis ton plus jeune qui est drôle comme un singe parce que Marcel se renferme de plus en plus en lui-même ! *(Madeleine se lève.)* Sauve-toi pas !

MADELEINE. Quand t'es comme ça, ça sert à rien d'essayer d'argumenter avec toi, t'écoutes pas...

ALBERTINE À 40 ANS. C'est notre problème, à tout le monde, d'après c'que j'peux voir... on s'écoute jamais ! Quand c't'à moi à parler, c'est tellement pas intéressant, hein ?

ALBERTINE À 50 ANS. T'es fatiquante, là...

ALBERTINE À 40 ANS. C'est ça, mets-toi de leur côté, toi !

ALBERTINE À 50 ANS. J'me mets pas de leur côté, mais j'trouve que tes arguments tournent en rond !

ALBERTINE À 40 ANS. Leurs arguments tournent pas en rond, à eux autres, d'abord !

MADELEINE. C'est pas possible de parler avec toi parce que t'es pas capable de pas te choquer ! Le nombre de fois que j'me sus assis patiemment avec toi pour essayer de discuter... Au bout de cinq minutes la chicane était pognée pis tout revolait dans'maison... chaque fois !

ALBERTINE À 70 ANS. Si vous m'aviez parlé sur un autre ton, j'aurais peut-être été capable de discuter…

Madeleine la regarde.

MADELEINE. Tu y donnes raison ?

ALBERTINE À 70 ANS. Oh oui !

ALBERTINE À 40 ANS *(brusquement)*. C'est ben la première fois que quelqu'un me comprend !

ALBERTINE À 70 ANS. Vous vous y preniez tellement mal… *(À Madeleine.)* Sais-tu c'que j'aurais voulu que tu fasses, Madeleine ? Non, au fait, pas c'que j'aurais voulu que tu fasses, j'pense que j'le voulais pas… mais sais-tu c'que t'aurais dû faire ?

MADELEINE. Non.

ALBERTINE À 70 ANS. C'est pas discuter que je voulais… c'est ça qu'on faisait à'journée longue… non, j'aurais eu besoin que tu me prennes dans tes bras, que tu m'embrasses…

ALBERTINE À 50 ANS *(très bas)*. J'avais pus de contact physique avec personne depuis tellement longtemps…

ALBERTINE À 40 ANS. C'est pas vrai ! C'est pas de ça que j'ai besoin !

ALBERTINE À 50 ANS. Ben oui, c'est de ça !

ALBERTINE À 40 ANS. Vous autres aussi vous m'interprétez, hein ? C'est ça ? Vous savez plus que moi de quoi j'ai besoin !

ALBERTINE À 70 ANS. On t'interprète pas…

ALBERTINE À 50 ANS. … on se souvient.

ALBERTINE À 40 ANS *(à Madeleine)*. Approche pas, toi !

Madeleine s'approche d'elle, la prend dans ses bras.

MADELEINE. Je le savais pas, Bartine…

ALBERTINE À 40 ANS. Touche-moi pas ! Lâche-moi !

Elles restent figées de longues secondes.

Rien ne bouge plus sur la scène. Albertine à quarante ans a gardé les yeux grands ouverts, comme terrorisée.

MADELEINE *(très doucement).* Détends-toi...

ALBERTINE À 40 ANS. Chus pas capable !

MADELEINE. Chus tellement catineuse avec mes enfants, pourtant ! J'aurais dû y penser ! Mais c'est difficile d'être catineuse avec sa sœur enragée... Détends-toi... laisse-toi aller... Pense... pense à y'a dix ans, à Duhamel... Tu t'en rappelles comme y faisait beau ?

ALBERTINE À 40 ANS. Tu m'auras pas plus par les sentiments ! Ma rage est trop grande !

ALBERTINE À 60 ANS. Des fois, j'm'en rappelle un peu... des contacts physiques. C'est dans ma tête que j'm'en rappelle. Pis ça me dégoûte tellement que je remercie le ciel de pus connaître personne.

ALBERTINE À 30 ANS. Madeleine ?

MADELEINE. Oui...

ALBERTINE À 30 ANS. Que c'est qu'y disait, au juste, dans sa lettre, le docteur Sanregret ?

MADELEINE. Ben, y disait qu'y faut que tu te reposes parce que t'as eu un grand choc.

Albertine à quarante ans repousse Madeleine.

ALBERTINE À 40 ANS. Si y'avait fallu que j'me repose chaque fois que j'ai eu un grand choc, j'aurais passé ma vie au sanatorium !

ALBERTINE À 30 ANS. Y contait-tu toute ? Toute c'qui s'est passé ?

ALBERTINE À 40 ANS. Aie pas peur qu'y devait toute conter, oui... Quand y s'agit de mes problèmes à moi, tout le monde est au courant pis j'te dis qu'y se font aller sur un temps rare...

MADELEINE. J'sais pas ce qui s'est passé, Bartine. Y'a pas d'électricité, ici... y'a pas le téléphone...

ALBERTINE À 40 ANS. Maudite menteuse ! Là, j'te pogne ! Tu reçois une lettre du docteur Sanregret qui t'envoie une lettre pour te dire que j'ai besoin de me reposer parce que j'ai eu un grand choc, pis y te dit pas c'est quoi ! Me prends-tu pour une folle !

ALBERTINE À 30 ANS. Y te dit-tu que j'ai failli tuer Thérèse ?

Les autres la regardent.

MADELEINE. Non... Y dit que tu l'as battue, mais...

ALBERTINE À 40 ANS. Crois-la pas !

ALBERTINE À 30 ANS. J'veux la croire ! Parce que j'ai envie de me vider le cœur !

ALBERTINE À 40 ANS. Ça sert à rien ! A'va juste te mépriser un peu plus...

ALBERTINE À 30 ANS. J'ai failli tuer Thérèse, Madeleine...

ALBERTINE À 40 ANS. C'est ça, tant pis pour toi ! J't'aurai avertie ! Confie-toi ! Fais-y confiance ! Première chose que tu vas savoir, tu vas être entourée de monde qui vont se cacher la face derrière leurs mains pour rire de toi !

MADELEINE *(à Albertine à trente ans).* Chus sûre que t'exagères...

ALBERTINE À 30 ANS. Si Gabriel était pas arrivé, j'pense que je l'aurais tuée pour vrai !

ALBERTINE À 40 ANS *(pour elle-même).* T'aurais peut-être dû le faire. J's'rais pas là, aujourd'hui, à hurler sur mon balcon comme une folle attachée sur une chaise !

ALBERTINE À 30 ANS. Madeleine, j'ai en dedans de moi une force tellement grande ! Une... J'ai une puissance, en dedans de moi, Madeleine, qui me fait peur ! *(Silence.)* Pour détruire. *(Silence.)* Je l'ai pas voulue. 'Est là. Peut-être que si j'avais été moins malheureuse, j'aurais fini par l'oublier ou la dompter... mais y'a des fois... y'a des fois oùsque j'sens une... une rage, c'est de la rage, Madeleine, de la rage ! Chus t'une enragée ! *(Silence. Elle lève un peu les bras.)* R'garde... la grandeur du ciel... Ben la grandeur de c'te ciel-là arriverait pas à contenir ma rage, Madeleine ! *(Silence.)* Si j'explosais, Madeleine... Mais j'exploserai jamais... À c't'heure, j'sais que j'exploserai jamais... C'que j'ai faite à Thérèse m'a trop fait peur !

MADELEINE. Si tu veux le conter... ça va peut-être te faire du bien ?

ALBERTINE À 40 ANS. T'as hâte de tout savoir, hein ? Y'a pas de téléphone, ici, mais y'en a un au village ! Pis ça sera pas long que moman va toute savoir !

MADELEINE. Arrête donc de m'interrompre tout le temps ! Si tu penses que chus de mauvaise foi tant que ça, parle-moi pus ! Appelle-moi pus dix fois par jour pour te plaindre ; cours pus chez nous en braillant trois fois par semaine... Décide-toi d'un bord ou de l'autre, Bartine ! Parle-moi pus pantoute ou ben parle-moi complètement ! *(Silence.)* Tes accusations sont tellement ridicules ! *(Silence.)* T'es pas assez importante pour qu'on passe notre temps à t'espionner, t'sais...

ALBERTINE À 40 ANS. Ben laissez-moi, d'abord ! Occupez-vous pus de moi ! Faites comme si j'existais pas !

MADELEINE. Oui, pis dans deux jours tu vas venir nous reprocher de t'abandonner !

ALBERTINE À 40 ANS. Ah ! pis sacre-moi donc patience !

Madeleine s'éloigne d'Albertine à quarante ans, s'assoit sur le bord de la galerie de Duhamel.

MADELEINE. Conte-lé pas si tu veux pas...

ALBERTINE À 70 ANS. C'est tellement difficile !

ALBERTINE À 30 ANS. On dirait qu'on est tu-seules, tou'es deux, dans le monde...

ALBERTINE À 70 ANS. Y fait tellement noir, tout d'un coup...

ALBERTINE À 60 ANS. Ça donne envie de chuchoter...

ALBERTINE À 40 ANS. Non, ça donne envie de tout détruire !

ALBERTINE À 50 ANS. La lune est pas encore levée. La pleine lune d'août, a'tarde tout le temps !

ALBERTINE À 30 ANS. En bas, dans le chemin, la maison doit avoir l'air d'une lanterne. Si quelqu'un passait, dans le chemin, j'sais pas si y pourrait nous voir, tou'es deux, toi pis moi, su'a galerie… De loin, comme ça, au bord de la galerie, j'dois pas avoir l'air d'une criminelle…

Elle ferme les yeux.

ALBERTINE À 40 ANS. Fais-toi-s'en pas, y'ont pas besoin de jumelles pour voir tes crimes…

ALBERTINE À 30 ANS. Ça fait tellement mal, Madeleine, si tu savais ! *(Silence. Elle ouvre les yeux. Elle soupire.)* Une semaine de congé. Une semaine de vacances. Pis toute recommencer ça…

MADELEINE. C'est notre rôle, Bartine…

Albertine à trente ans se tourne brusquement vers Madeleine.

ALBERTINE À 30 ANS. Notre rôle ! C'est pas notre rôle ! C'est notre lot !

Elle se rassoit dans sa chaise berçante.

ALBERTINE À 70 ANS. Chut… pas si fort. Pense avant de parler.

ALBERTINE À 30 ANS. Toi, t'es tombée sur un meilleur lot que le mien. Okay, mais même à ça… Tu te sens pas… tu te sens pas dans un trou, des fois, Madeleine, dans un tunnel, dans une cage !

ALBERTINE À 60 ANS. Une cage… Ah oui… une cage.

MADELEINE. Bartine, j'comprends pas c'que tu veux dire…

ALBERTINE À 60 ANS. Dans une cage ! Tu connais ça, une cage ! *(Madeleine se tourne vers elle.)* Avec des barreaux ! Des barreaux, Madeleine, qui t'empêchent de sortir ! Parce que c'est toi qui es dans la cage !

ALBERTINE À 70 ANS. T'as couru après !

ALBERTINE À 60 ANS. C'est pas vrai !

ALBERTINE À 70 ANS. Regarde-toi donc ! C'est tout c'que tu mérites, une cage !

ALBERTINE À 30 ANS. Dans dix ans, dans vingt ans, on va être encore là, dans notre cage avec des barreaux ! Pis quand on va être vieilles, quand y'auront pus besoin de nous autres, y vont nous mettre dans des cages de vieilles ! Pis on va virer folles d'ennui !

ALBERTINE À 70 ANS. C'est pas vrai, ça, par exemple...

MADELEINE. Mais pourquoi tu penses à toutes ces affaires-là, tout d'un coup, Bartine ?

ALBERTINE À 70 ANS *(un peu plus fort)*. C'est pas vrai !

ALBERTINE À 30 ANS. Je le sais pas. *(Silence.)* Je le sais pas. J'ai pourtant pas l'habitude de me révolter.

ALBERTINE À 60 ANS. Me révolter ?

ALBERTINE À 70 ANS. C'est pas parce qu'y'ont pus besoin de moi que chus ici... c'est parce que chus tu-seule !

ALBERTINE À 30 ANS. C'est toute c't'histoire-là qui m'a revirée à l'envers...

ALBERTINE À 70 ANS. Tu-seule ! Comme un chien !

ALBERTINE À 60 ANS *(ironiquement)*. La révolte !

ALBERTINE À 40 ANS *(à Albertine à trente ans)*. Parle de ta rage !

ALBERTINE À 30 ANS. Quoi ?

ALBERTINE À 40 ANS. Parles-en, de ta rage !

ALBERTINE À 60 ANS. Ça sert jamais à rien, la révolte.

ALBERTINE À 70 ANS. Non, faut pas que j'me laisse aller au découragement... Aidez-moi !

Albertine à cinquante ans quitte sa place et vient s'installer près d'Albertine à soixante-dix ans.
Elle lui prend doucement la main.

Merci.

ALBERTINE À 60 ANS. La révolte, c'est enfantin ! Pis la punition est toujours trop grande !

ALBERTINE À 30 ANS. C'est ma rage, Madeleine, c'est ma rage qui veut frapper !

ALBERTINE À 60 ANS. Pis quand la rage revient...

ALBERTINE À 30 ANS. Mais j'sais pas qui, pis j'sais pas où, pis j'sais pas comment !

ALBERTINE À 60 ANS. Y'a pas de mots... pour décrire... l'impuissance de la rage !

ALBERTINE À 50 ANS *(à Albertine à soixante-dix ans)*. T'es pas tu-seule. Pense à nous autres. On est là, nous autres, avec toi...

ALBERTINE À 70 ANS. Vous êtes pas toutes des consolations, tu sais...

ALBERTINE À 50 ANS. Pense pas rien qu'à nos mauvais côtés... Y'a des moments... y'a des moments où t'as été bien... Tiens, par exemple... Thérèse pis Marcel... On sait c'qu'y sont devenus, tou'es deux, pis c'est facile de penser juste à ça pis de souffrir... mais quand y'étaient p'tits, tou'es deux, hein ? As-tu déjà vu deux plus beaux bébés ? Tu t'en rappelles ?

ALBERTINE À 70 ANS. J'm'en rappelle, oui, mais ça soulage pas...

ALBERTINE À 50 ANS. Essaye... pour me faire plaisir.

ALBERTINE À 70 ANS. Tant qu'à ça, c'taient des ben beaux bébés. Le monde su'a' rue Mont-Royal m'arrêtaient, quand Thérèse était petite, pour me dire comment c'qu'a'l'était belle...

ALBERTINE À 50 ANS. Pis Marcel...

ALBERTINE À 70 ANS. Marcel avait trop d'imagination... même p'tit, y me faisait peur...

ALBERTINE À 50 ANS. Mais pense aux caresses qu'y te faisait. À son rire quand y'était content...

ALBERTINE À 70 ANS. Tout ça est pus ben clair dans ma tête... C'qui leur est arrivé après est trop effrayant pour que j'sois capable de me rappeler des beaux moments... Excusez-moi.

ALBERTINE À 60 ANS. L'impuissance...

ALBERTINE À 50 ANS. Si c'est pas clair... inventes-en. Si le passé te fait trop mal, construis-toi-s'en un neuf... Fais comme moi, oublie ! Essaye, en tout cas. En fin de compte, tu vas voir, c'est pas si difficile que ça. Moi, quand un mauvais souvenir essaye de m'achaler, j'me pousse... Si chus à'maison, j'sors... Si chus au travail, j'chante... C'est comme si j'le laissais en arrière, tu comprends, pis que j'me sauvais.

ALBERTINE À 70 ANS. Où c'est que j'me sauverais, ici ? Dans le passage ? Y'aurait pas de misère à me rejoindre ! Tu comprends, y'a pas de place, ici, pour se sauver, ni pour se révolter.

ALBERTINE À 60 ANS. Je le sais ben ! C'est pour ça que j'me sus résignée ! Tu peux jamais te sauver nulle part, jamais !

ALBERTINE À 70 ANS. Tu t'es pas résignée ! Tu t'es juste laissée aller. T'as abandonné... la vie, c'est pas pareil.

ALBERTINE À 50 ANS. Justement... imite-la pas...

ALBERTINE À 60 ANS. Tu parles de moi comme si j'étais morte !

Albertine à soixante-dix ans la regarde puis détourne la tête.

ALBERTINE À 70 ANS *(à Albertine à cinquante ans, en lui tapotant la main)*. Ça va aller mieux...

Albertine à cinquante ans la quitte très lentement.

ALBERTINE À 40 ANS. C'est comme une boule de feu, Madeleine...

ALBERTINE À 30 ANS. Oui, c'est ça... Une boule de feu dans ma poitrine...

ALBERTINE À 40 ANS. Ça brûle sans arrêter...

ALBERTINE À 30 ANS. J'ai beau hurler, frapper, ça reste toujours là... c'est aussi présent après qu'avant une crise...

ALBERTINE À 40 ANS. Des fois ça fait tellement mal que j'peux rien faire, dans'maison... ça fait que j'vas m'étendre sur mon lit... mais là ça devient pire...

ALBERTINE À 30 ANS. Être enragée dans son lit, c'est tellement effrayant !

MADELEINE. Mais que c'est qui t'enrage tant ?

ALBERTINE À 40 ANS. Toute !

ALBERTINE À 30 ANS. Oui, toute ! J'prends tout de travers... même les joies... j'en ai pourtant pas tellement ! Quand quequ'chose de beau m'arrive, j'me méfie... j'me dis que ça doit cacher quequ'chose d'épouvantable que j'vois pas encore pis qui va me sauter dessus.

MADELEINE. Pourquoi tu les prends pas pendant qu'y passent, ces joies-là...

ALBERTINE À 30 ANS. Chus pas capable !

ALBERTINE À 50 ANS. C'est pas vrai, ça...

ALBERTINE À 40 ANS. Toutes mes joies ont toujours été suivies d'affaires tellement effrayantes ! *(À Albertine à cinquante ans.)* Attends ! Tu vas voir !

MADELEINE. Mais ça arrive à tout le monde, ça ! On est toutes pareils ! T'as pas le monopole de la souffrance, t'sais !

ALBERTINE À 40 ANS. Arrête donc de toujours me dire ça ! Je le sais que j'ai pas le monopole de la souffrance ! Mais comment ça se fait que c'qui m'arrive à moi est toujours pire que c'qui arrive aux autres ?

MADELEINE. Parce que tu le prends pire, c'est toute ! Au lieu d'essayer de trouver une solution tu sautes toujours à pieds joints dans le malheur en te lamentant !

ALBERTINE À 30 ANS. C'est facile pour toi de dire ça, y t'arrive jamais rien !

MADELEINE. Tu penses qu'y m'arrive jamais rien parce que j'me plains pas, Bartine ! Mes malheurs, j'les garde pour moi pis j'les règle tu-seule !

ALBERTINE À 60 ANS. C'est ça que je fais, moi aussi, à c't'heure, Madeleine... j'ai suivi tes conseils... j'reste dans ma chambre, tranquille, j'achale pus parsonne...

Elle ouvre une petite bouteille de pilules, en prend une avec un verre d'eau.

Pis pour la première fois j'ai la paix.

ALBERTINE À 50 ANS. T'as la mémoire courte !

ALBERTINE À 60 ANS. Quoi ? J'comprends pas c'que tu veux dire...

ALBERTINE À 50 ANS. Moi non plus j'me lamente pus... J'prends pas de pilules, pourtant...

ALBERTINE À 60 ANS. Ça durera pas...

ALBERTINE À 50 ANS. Pourquoi ça durerait pas ?

ALBERTINE À 60 ANS. Parce que c'est un rôle que tu joues ! Tu passes une période de ta vie où tu joues à être heureuse, à être positive.

ALBERTINE À 70 ANS. Tais-toi donc !

ALBERTINE À 60 ANS. Toi aussi, t'sais ! Tu te fais accroire que tu vas être heureuse dans ta petite chambre qui sent pas bon mais ton naturel va revenir !

ALBERTINE À 70 ANS. Moi, au moins, chus heureuse d'être en vie !

ALBERTINE À 50 ANS. Moi aussi chus heureuse d'être en vie...

ALBERTINE À 60 ANS. J'vous crois pas.

ALBERTINE À 30 ANS. Chus jeune, chus pleine de force, j'pourrais faire tellement d'affaires si j'avais pas c'te rage-là qui me ronge !

ALBERTINE À 40 ANS. Des fois j'ai l'impression que c'est elle qui me tient en vie...

ALBERTINE À 30 ANS. C'est vrai, ça...

ALBERTINE À 60 ANS. Vous autres aussi ça va vous passer... La rage... la révolte... ça a jamais aidé personne !

ALBERTINE À 30 ANS. J'vas te le conter pourquoi chus ici cette semaine, Madeleine tu vas comprendre c'que j'veux dire... Tu vas comprendre... la grandeur... de ma rage. *(Silence. Les autres Albertine et Madeleine l'écoutent avec attention.)* Mon enfant, ma propre fille, ma Thérèse avec qui j'me chicane tout le temps parce qu'on se ressemble trop, mais que j'élève du mieux que j'peux... c'est vrai que j'l'élève comme j'peux, t'sais... J'sais pas grand-chose mais c'que j'sais j'essaye de le passer à mes enfants... qui m'écoutent jamais ! Ça aussi c'est enrageant, t'sais... En tout cas... Ma Thérèse que j'pensais si innocente au milieu de ses vieilles catins pis de ses petites amies de son âge qu'a'mène par le bout du nez... a'voyait un homme, imagine-toi donc ! Un homme, Madeleine, pas un p'tit morveux de son âge qui se serait contenté de l'embrasser avec la bouche fermée, là, un homme faite !

MADELEINE. Es-tu sûre ? A'l'a onze ans !

ALBERTINE À 30 ANS. Quand j'ai appris ça, j'ai vu rouge, que c'est que tu veux... Que c'est que t'arais faite, toé, à ma place ? Naturellement, avec ta fille, y'arait pas eu de danger que ça arrive, j'te vois venir !

MADELEINE. Mais c'est qui, lui ? L'as-tu déjà vu avec elle ?

ALBERTINE À 30 ANS. Ben non, t'sais ben, ça ferait longtemps que je l'aurais étampé ! A' le voyait pas... J'veux dire qu'a' sortait pas vraiment avec, là, non, c'pas ça que j'veux dire...

Silence.

ALBERTINE À 70 ANS. Vas-y... ça va te faire du bien.

ALBERTINE À 30 ANS. Je le sais que ça me ferait du bien, mais chus pas capable ! *(Albertine prend deux ou trois bonnes respirations.)* As-tu déjà eu envie de toute détruire autour de toi ? As-tu déjà senti la force de toute détruire ? *(Elle cherche ses mots.)* Les hommes... les hommes... les hommes... C'est eux autres, Madeleine. Eux autres. Pas nous autres.

Madeleine s'approche de sa sœur, la prend dans ses bras. Albertine se dégage de cette timide étreinte.

A'l'a onze ans, Madeleine, pis y courait après comme si a'l'avait été une femme ! Y'a'suivait partout ! Pis a'se laissait faire sans rien dire ! A'l'le savait pis a'disait rien !

ALBERTINE À 40 ANS. A'l'aimait ça.

ALBERTINE À 30 ANS. A'l'aimait ça, Madeleine, c'est elle qui me l'a dit ! Pis c'est pour ça que j'ai fessé !

ALBERTINE À 40 ANS. Pis a'l'aime encore ça... après toute c'qui est arrivé... c'est ça qui me tue !

ALBERTINE À 50 ANS. À quoi ça sert de tout ressasser ça ! Occupez-vous-en don'pas.

ALBERTINE À 30 ANS. Comme de raison, j'ai appris ça par hasard. J'me sus étendue dans le salon, l'autre jour, en plein cœur d'après-midi... J'sentais que quequ'chose se préparait... Moman avait été de mauvaise humeur toute la journée pis les enfants étaient pas tenables... Thérèse est venue s'assire su'l'balcon d'en avant avec son amie Pierrette.

Silence.

ALBERTINE À 40 ANS. Y parlaient de ça, tou'es deux, comme si ça avait été ben ordinaire...

LES CINQ ALBERTINE *(en alternance)*. Pierrette demandait à Thérèse si a'l'avait revu son suiveux pis l'autre répondait qu'y'avait disparu depuis le début de juin. J'ai pensé que c'tait un p'tit gars du voisinage pis j'me sus dit : "Ça y'est, les problèmes de garçons qui commencent ! Déjà !" Mais j'me sus vite rendu compte que c'tait pas ça pantoute ! Y'en parlaient comme d'un acteur, imagine-toi donc ! Y le comparaient aux plus beaux hommes qu'on peut voir dans les revues... y disaient même qu'y'était encore plus beau qu'eux autres ! Moi, j'étais toute bouleversée dans mon lit... Y'avaient tellement pas l'air de comprendre... le danger... le danger des hommes, Madeleine...

ALBERTINE À 30 ANS. Pis quand Thérèse s'est mis à conter qu'une fois, la dernière fois qu'a'l'avait vu, y s'était mis à genoux devant elle au beau milieu de la rue pis qu'y'avait posé sa tête... sur son ventre, j'me sus levée sans même m'en rendre compte, j'pense, pis chus sortie sur le balcon...

LES CINQ ALBERTINE *(en alternance)*. J'ai fessé, Madeleine, j'ai fessé !

ALBERTINE À 30 ANS. Je r'gardais même pas oùsque j'fessais, pis j'mettais toute ma force ! Thérèse hurlait, Pierrette pleurait, les voisins se sont mis à sortir de leurs maisons... Pis moi j'arrêtais pas... j'tais pas capable ! C'est pas Thérèse que j'frappais, j'pense, c'est... c'est toute la vie... J'avais pas les mots pour expliquer le danger, ça fait que j'fessais ! *(Elle se tourne vers sa sœur.)* J'ai jamais tellement parlé des hommes à Thérèse parce que les mots que j'aurais employés auraient été trop laids. *(Silence.)* Si Gabriel était pas venu nous séparer, je l'aurais tuée.

Madeleine pose un bras sur l'épaule de sa sœur qui se jette dans ses bras.

J'ai pas pleuré, Madeleine ! Pas une fois ! Pis j'arrive pas encore à pleurer ! *(Silence.)* La rage !

ALBERTINE À 40 ANS. Thérèse a jamais valu une larme.

ALBERTINE À 70 ANS. Comment peux-tu dire ça ! C'est ton enfant.

ALBERTINE À 40 ANS. Toi aussi c'est ton enfant ! Te rappelles-tu seulement d'elle ? En verses-tu, des larmes, pour elle ?

Silence.

ALBERTINE À 70 ANS. Aujourd'hui, j'ai des regrets.

ALBERTINE À 40 ANS. Mais pas de larmes !

Silence.

ALBERTINE À 70 ANS. J'ai jamais su pleurer.

Albertine à trente ans et Madeleine se sont assises sur les marches du perron.

ALBERTINE À 30 ANS. C'est-tu ça qu'y'avait dans la lettre du docteur Sanregret ?

MADELEINE. Non. C't'à dire qu'y disait que t'avais battu Thérèse, mais comme vous avez pas dit ni une ni l'autre pourquoi, y le savait pas.

ALBERTINE À 30 ANS. Y doit juste me prendre pour un peu plus folle.

MADELEINE. Personne pense que t'es folle.

ALBERTINE À 30 ANS. Mais je le suis, t'sais. Battre sa fille parce qu'a'frôle un danger au lieu de y'expliquer, c'est pas de la folie, tu penses !

ALBERTINE À 70 ANS. Non, c'est pas de la folie. C'est de l'ignorance. *(Madeleine baisse les yeux. À Madeleine :)* Pourquoi tu y dis pas ?

MADELEINE. Quoi…

ALBERTINE À 70 ANS. Que c'est de l'ignorance…

MADELEINE. On dit pas comme ça à sa sœur qu'est ignorante !

ALBERTINE À 70 ANS. Si ça peut l'aider…

MADELEINE. Mais ça l'aidera peut-être pas !

ALBERTINE À 70 ANS. Ben laisse-moi te dire, à toi, que tu l'es, ignorante, même si t'es ma sœur !

MADELEINE. Ton vieux caractère remonte à'surface encore de temps en temps, hein ?

ALBERTINE À 70 ANS. Mais comprends donc ! Si tu y dis qu'est pas folle, a'va te croire ; si tu y dis que c'est juste de l'ignorance, pis que l'ignorance ça se répare, ça va peut-être l'encourager à… je le sais pas… à s'informer, à se poser des questions…

ALBERTINE À 30 ANS. Laisse faire… Essaye pas… T'es ben fine, mais que j'soye folle ou que j'soye ignorante ça changera rien. Je le sais que chus pas comme les autres…

ALBERTINE À 70 ANS *(très doucement)*. Mais… les autres aussi sont ignorants !

ALBERTINE À 40 ANS. C'est pour ça que je crie après eux autres, aussi !

ALBERTINE À 70 ANS. Excuse-moi, mais c'est pas à toi que je parle... *(À Albertine à trente ans.)* On dépend toutes de toi... Essaye... de discuter avec Thérèse... pis de comprendre Marcel... quand y seront pus là, y va être trop tard...

ALBERTINE À 50 ANS. Mais pas trop tard pour moi...

ALBERTINE À 30 ANS. Des fois, j'essaye... c'est vrai ! Mais on est tou'es trois pareilles... trois têtes de cochons... pis le contact est pas possible. *(À Albertine à soixante-dix ans.)* Juge-moi pas. Tu dois pus te rappeler à quel point c'est dur...

ALBERTINE À 70 ANS. Tant qu'à ça... Ça sert à rien de demander de changer quoi que ce soit... Quand on est jeune on est sûr d'avoir raison... quand on est vieux on se rend compte qu'on a eu tort... à quoi ça sert de vivre. On devrait avoir le droit de vivre une deuxième vie... mais on est tellement mal faite... on ferait probablement pas mieux.

ALBERTINE À 30 ANS *(à Madeleine)*. Y te demandait-tu de me faire parler, le docteur Sanregret ?

MADELEINE. Non.

Silence.

ALBERTINE À 30 ANS. Que c'est que j'vas faire, Madeleine ?

MADELEINE. Sais-tu qui c'est, c'te gars-là ?

ALBERTINE À 30 ANS. C't'un gardien du parc Lafontaine, y paraît. C'est les pires. Sont supposés de veiller sur nos enfants pis y passent leur temps à les reluquer... J'vas mettre la police après quand j'vas revenir...

ALBERTINE À 40 ANS. Ben non tu mettras pas la police après... Tu vas juste punir Thérèse pis essayer d'oublier. Pis quand tu vas le retrouver, c'te gars-là, y va être trop tard.

ALBERTINE À 30 ANS. Mais c'est pas de ça que je voulais parler... Que c'est que j'vas faire pour le reste de ma vie ? Si j'me mets à varger sur mes enfants de même parce que j'sais que c'est pas possible de leur parler, y vont-tu m'enfermer ? Même si j'ai raison ?

ALBERTINE À 60 ANS. Ben non, y t'enfermeront pas... c'est toi qui vas les enfermer...

ALBERTINE À 30 ANS. Moi, enfermer mes enfants ! Pourquoi tu dis ça ?

ALBERTINE À 50 ANS. Laisse faire, j'sais c'qu'a'veut dire...

ALBERTINE À 60 ANS. T'as peur, hein ?

ALBERTINE À 50 ANS. Oui. J'ai peur de ta version.

ALBERTINE À 60 ANS. Y'en a-tu une autre ?

ALBERTINE À 50 ANS. Si tu veux absolument en parler, laisse-moi conter la mienne d'abord... On verra après.

ALBERTINE À 60 ANS. Écoutez-la pas. A'va toute embellir, a'va toute mettre à son avantage !

ALBERTINE À 50 ANS. J'vas conter c'qui est arrivé, comme c'est arrivé !

Silence.

ALBERTINE À 70 ANS. Fais attention... c'est des choses tellement délicates...

ALBERTINE À 50 ANS. Sont délicates, mais j'en ai pas honte.

ALBERTINE À 70 ANS. Bon. Vas-y...

ALBERTINE À 50 ANS. Un bon jour, j'ai découvert quequ'chose de ben important. J'ai découvert ça tu-seule à part de ça, même si chus pas la femme la plus brillante au monde... J'pensais à mes enfants pis à ma famille qui m'ont jamais écoutée, qui ont toujours toute faite sans jamais s'occuper de moi, sans jamais me demander mon avis, comme si j'avais pas existé, pis j'ai découvert que dans la vie, pour se faire entendre, faut désobéir ! Si on veut faire quequ'chose, faut désobéir ! Sinon on se fait écraser ! Moi qui avais toujours fini par écouter les autres, par suivre leurs conseils, par faire c'que les autres voulaient que je fasse, toi, Madeleine, pis nos frères, pis moman... à cinquante ans j'ai désobéi pis je l'ai pas regretté !

ALBERTINE À 60 ANS. Ça va venir...

ALBERTINE À 50 ANS. J'ai eu d'la misère à me faire à l'idée, au commencement, par exemple... J'avais tellement toujours dépendu de tout le monde ! C'est pas des farces, c'était rendu que quand on me disait pas quoi faire je le demandais ! J'quêtais ! J'ai passé ma vie à quêter ! J'étais deboute au milieu d'une maison pis avant de faire un geste j'voulais qu'on me dise que c'était correct ! Ça alimentait ma rage pis j'étais toujours au bord d'exploser ! Mais à cinquante ans j'me sus dit : "Demande pus ! Pis désobéis ! Essaye, une fois ! Tu verras ben c'que ça donne !" Mais j'avais un énorme boulet qui m'empêchait de bouger... Marcel. Thérèse, elle, est-tait disparue dans'brume depuis quequ's'années, j'entendais presque jamais parler d'elle excepté quand y'a trouvaient paquetée dans le fond d'une ruelle ou ben donc qu'a'm'appelait du poste n° 1 parce qu'y venaient de la ramasser... J'me revois encore ramasser vingt-cinq piasses de peine et de misère pis prendre l'autobus Saint-Denis... J'ai l'air de conter ça comme si ça me faisait rien, mais... la douleur durcit tellement, si vous saviez ! Ça fait qu'y me restait juste Marcel, un éternel enfant de vingt-cinq ans presque pas responsable, que j'protégeais encore pis que j'continuerais à protéger jusqu'à ce qu'un de nous deux crève parce que je l'avais jamais compris... Y s'enfermait de plus en plus, y s'éloignait de moi tout en exigeant que j'sois toujours là... J'le regardais... oui, j'le regardais devenir fou... Excusez-moi, j'ai de la misère à conter ça...

ALBERTINE À 60 ANS. Ça coûte cher de désobéir, hein ?

ALBERTINE À 70 ANS *(à Albertine à soixante ans).* Tais-toi donc ! S'il vous plaît !

ALBERTINE À 50 ANS *(à Madeleine).* J'ai désobéi à mon rôle, Madeleine ! Je le sais c'que vous avez toutes pensé, mais vous aviez tort ! Si je l'avais pas fait, j's'rais encore prisonnière d'un fou qui me tiendrait dans le creux de sa main pis qui deviendrait de plus en plus dangereux... c'est pas le rôle de parsonne, ça !

J'ai cassé le moule de mère-poule ! *(Silence.)* J'ai dit à Thérèse que j'voulais pus rien savoir d'elle... pis j'ai fait placer Marcel loin d'ici... *(Madeleine se détourne.)* Ç'a faite mal mais veux-tu savoir une chose ? J'ai jamais été aussi heureuse de ma vie pis eux autres non plus ! Sont avec du monde comme eux autres pis moi chus avec du monde comme moi !

ALBERTINE À 40 ANS. T'aurais dû le faire avant... Moi, si j'avais le courage... mais j'ai trop peur de passer pour une sans-cœur. *(Ironique.)* Faut ben jouer son rôle jusqu'au boute, hein ? On nous l'a tellement dit ! T'as mis au monde un enfant fou, c'est de ta faute, paye !

ALBERTINE À 50 ANS. Fini ! Fini, tout ça ! Quand j'me sus retrouvée tu-seule, j'ai eu le vertige ! Ça m'était jamais arrivé ! Mes journées étaient à moi, j'avais pas à m'inquiéter de personne... J'me sus habillée en neuf, du pas cher mais du beau, pis chus partie me chercher une job ! Comprenez-vous c'que ça veut dire ? Une job ! La liberté !

ALBERTINE À 70 ANS *(en souriant)*. Ma première job. Ma seule job. Le parc Lafontaine.

ALBERTINE À 50 ANS. Le seul parc que j'aie jamais connu, le seul coin de verdure, est à moi ! J'travaille au restaurant du parc Lafontaine, en plein cœur du parc, là oùsque tout le monde passe... pis y paraît que je fais les meilleurs sandwiches salade mayonnaise du monde ! Le monde viennent ici exprès pour manger mes sandwiches ! Y viennent pour moi parce que chus bonne ! Pis en plus j'ai un salaire ! Les autres employés pis les clients m'appellent "madame" gros comme le bras pis y sont à mes genoux parce que j'leur fais du manger comme y'en mangeaient chez eux !

ALBERTINE À 60 ANS. Tu sers les autres comme tu les as toujours servis !

ALBERTINE À 50 ANS. Au moins, chus pas à quatre pattes en train de ramasser les dégâts de Marcel ou ben donc à me ronger les sangs parce que Thérèse vient de faire une nouvelle gaffe ! J'arrive ici le matin en chantant, j'travaille en chantant, pis je r'parc le soir en chantant ! Je r'garde le soleil se coucher, l'été, pis les enfants patiner, l'hiver ! J'gagne ma vie, comprenez-vous ? J'vis comme j'veux, sans famille, sans enfants, sans homme ! Ah oui, sans homme ! Pis par choix ! Chus tellement ben ! J'ai pris sur moi trop longtemps, Madeleine, y fallait que je désobéisse !

MADELEINE. Tu les haïs tant que ça ?

ALBERTINE À 30 ANS. Mes enfants ?

ALBERTINE À 50 ANS. J'les aime plus que ma vie, mes enfants, Madeleine. Mais sont mieux loin de moi pis moi chus mieux loin d'eux autres.

MADELEINE. J'te parle pas, à toi... *(À Albertine à trente ans.)* J'te parle pas de tes enfants...

ALBERTINE À 50 ANS. Tu veux pus m'écouter ?

MADELEINE. J'te parle des hommes.

Albertine à trente ans se raidit. Elle ne répond pas.

ALBERTINE À 60 ANS. Personne a envie d'écouter une sans-cœur.

ALBERTINE À 70 ANS. Pourquoi une sans-cœur ?

ALBERTINE À 60 ANS. Abandonner ses enfants...

ALBERTINE À 40 ANS. Moi, j'te comprends.

ALBERTINE À 70 ANS. Moi aussi j'te comprends... j'pense.

MADELEINE. C'est pas parce que t'as connu un écœurant que ça veut dire qu'y sont toutes pareils, Bartine.

Silence.

Albertine à cinquante ans rit méchamment.

ALBERTINE À 50 ANS. L'Évangile selon sainte Madeleine ! J'la connais par cœur !

MADELEINE. T'à l'heure, dans une demi-heure, à peu près... on va voir deux petites lumières arriver au bout du chemin... deux p'tits pinceaux jaunes qui vont éclairer les sapins de chaque côté de la route... Le char va tourner à gauche dans le chemin de terre... Alex va arriver... avec des surprises pour moi pis les p'tits. Du blé d'Inde en épi même si c'est pas encore tout à fait le temps, ou ben donc des bonbons, ou ben donc une grosse poule qu'y va avoir échangée contre j'sais pas trop quoi... Tu comprends, les commis voyageurs, ça a toutes sortes de combines. Y va sortir du char en me faisant un petit signe de la main. J'vas descendre les marches de la galerie pour aller le rejoindre... Un bec, à'noirceur, c'est tellement excitant. Ses yeux vont être doux quand y vont se poser sur moi, même si y me voit pas, pis même si j'le vois pas moi non plus.

ALBERTINE À 50 ANS. C'est ça, le moule... toujours le même moule...

ALBERTINE À 70 ANS. T'étais tellement naïve, Madeleine...

MADELEINE. Alex est un homme bon, Bartine...

ALBERTINE À 30 ANS. Tant mieux pour toi si t'es ben tombée... mais t'en as connu rien qu'un, toi aussi !

MADELEINE. J'aime mieux penser qu'y sont bons.

ALBERTINE À 30 ANS. Moi, j'sais qu'y le sont pas ! Attends que ta fille arrive avec... un problème comme celui de Thérèse...

MADELEINE. Ça risque pas d'arriver. On se parle, moi pis ma fille.

ALBERTINE À 40 ANS. Essaye de parler avec Thérèse, tu vas voir comme c'est agréable ! Ça fait dix ans que j'te dis qu'est pas parlable ! C'est pus une enfant, là, a'l'a pus de problèmes de petite fille qui sait rien !

MADELEINE. Tu sais pas t'y prendre, avec elle...

ALBERTINE À 40 ANS. J'ai essayé de toutes les façons possibles imaginables ! A'm'envoye chier, pis a'va rejoindre sa gang de pimps pis de guidounes !

ALBERTINE À 30 ANS. J'veux pas qui y'arrive la même chose qu'à moi ! Pis j'veux pas non plus qu'a'se révolte pis qu'a'devienne une tête brûlée !

ALBERTINE À 40 ANS. C'est ça qu'est devenue pis 'est pas drôle tu-suite !

ALBERTINE À 30 ANS. J'le sais pas c'que j'veux pour elle !

ALBERTINE À 40 ANS. Arrête donc de t'en faire ! De toute façon, c'est elle qui va choisir... Toi, tout c'que tu vas pouvoir faire, ça va être d'la regarder aller en braillant parce que tu vas te sentir responsable. On est toujours responsables de toute, nous autres !

ALBERTINE À 30 ANS. Ben vite, ça va être une femme, pis la première chose qu'on va savoir, a'va être enfarmée comme nous autres ! Ou ben donc a'va être rejetée avec les parias... As-tu déjà pensé à ça, toi qui es si intelligente, qu'on avait juste deux choix, nous autres ?

MADELEINE. Si t'avais pris l'autre choix, penses-tu que tu serais plus heureuse ?

ALBERTINE À 30 ANS. C'est pas ça, le problème ! Si j'tais plus jeune, j'essaierais peut-être de m'en inventer un troisième... *(Silence.)* C'est ça qu'y faudrait que j'dise à Thérèse... Si j'arrivais à y parler, un jour...

MADELEINE. Essaye, tu verras ben.

ALBERTINE À 40 ANS. Moi, j'ai essayé. *(À Albertine à cinquante ans.)* T'as ben faite.

ALBERTINE À 30 ANS. Que c'est que t'en penses, toi, de tout ça ?

MADELEINE. Si ma fille fait c'que j'ai faite, j'trouverai pas que c'est mal.

ALBERTINE À 70 ANS. Pauvre Madeleine. T'avais peut-être raison, toi aussi. Y'a peut-être pas toujours juste une vérité. Des fois y'a peut-être une vérité pour nous autres, pis une autre pour les autres... T'étais heureuse comme t'étais, Madeleine, pis au fond, j'devais être un peu jalouse de toi...

ALBERTINE À 30 ANS. Chus pas jalouse d'elle !

ALBERTINE À 40 ANS. Moi non plus !

ALBERTINE À 70 ANS. Vous vous l'êtes peut-être jamais avoué...

ALBERTINE À 50 ANS. Moi, des fois... j'veux pas dire que chus jalouse d'elle, là, non, j'aime trop mon indépendance pour ça... mais quand a'vient me voir au restaurant avec sa petite-fille qui est si cute pis si bien habillée, j'me dis que j'aurais peut-être aimé ça, moi aussi, gâter des petits-enfants, les catiner...

ALBERTINE À 70 ANS. Tant qu'à ça, si j'avais pas marié un bouffon j'aurais peut-être pas pensé comme j'pense.

ALBERTINE À 40 ANS. Ben voyons donc, c'est toi qui as raison, sont toutes pareils, les hommes, y finissent toujours par nous avoir ! Que c'est que vous voulez, c'est eux autres qui mènent ! Tant qu'on les laisse faire, y'en profitent, sont pas fous ! C'est leur monde, c'est eux autres qui l'ont faite ! Thérèse aussi a eu droit à ça, vous savez ! Le prince charmant, sur une fausse jument, avec un costume loué ! A'm'est arrivée un jour avec quelqu'un qui avait du bon sens, imaginez-vous donc ! Moi, pas plus fine, j'me sus dit, laisse-la faire, y'est quand même moins pire que c'qu'a'ramène d'habitude ! J'en avais vu tout un assortiment, laissez-moi vous le dire ! Des affaires, là, que même la plus abandonnée des guidounes aurait pas voulues ! Entéka... Lui, y'était beau, pis y'était fin, pis en plus y'avait les yeux doux ! Alléluia ! Mais quand j'y ai demandé c'qu'y faisait dans'vie pis qu'y m'a répondu qu'y'était chauffeur d'autobus, j'me sus dis c'est trop beau, ça doit cacher quequ'chose... comme de faite ! Y m'a dit comme ça que ça faisait longtemps qu'y connaissait Thérèse parce que y'a dix ans, y'était gardien au parc Lafontaine... *(Albertine à trente ans sursaute.)* Ben oui... Toute concordait, y'avait à peu près dix ans de plus qu'elle, toute... Ça y'avait pris dix ans pour l'avoir, mais y'avait fini par l'avoir ! Pis... Thérèse le sait très bien. 'Est pus la p'tite fille innocente de onze ans, là, a'l'a vingt ans pis a'sait c'qu'a'fait ! Pis a'sait c'qu'y'a voulu y faire ! Pis savez-vous c'qu'y m'écœure le plus ? A's'est mis dans'tête de le marier ! Parce que y'est beau ! Parce que les autres femmes sont jalouses ! Pis pour me faire chier ! Demandez-vous pas pourquoi j'ai toujours envie de tuer ! Ma propre fille va marier un homme qui a failli la violer y'a dix ans pis qui pourrait recommencer n'importe quand avec n'importe qui ! C'est ça, les hommes ! Y voyent un trou, y rentrent dedans ! *(Long silence gêné.)* Excusez-moi. Toi, surtout, Madeleine. C'que tu sais pas te fait pas mal, mais y'est certainement pas parfait, ton Alex, ça se peut pas. C'est sûr et certain qu'y cache quequ'chose.

ALBERTINE À 70 ANS. On y demande pas d'être parfait, non plus. Fais attention... aux jugements que tu portes...

ALBERTINE À 60 ANS. T'en portes pas, des jugements, toi, peut-être ! Tu me regardes pas, tu veux pas me parler... tu fais comme si j'avais jamais existé !

ALBERTINE À 70 ANS. Chus pas parfaite, moi non plus...

ALBERTINE À 40 ANS. De toute façon, son Alex, moi, je l'ai jamais trusté !

ALBERTINE À 50 ANS. C'est pas vrai, ça... t'as même déjà eu un œil dessus...

ALBERTINE À 40 ANS. Lui ? C'te sans-dessein-là ? Voyons donc !

ALBERTINE À 70 ANS. C'est pourtant vrai, j'm'en rappelle, là. Y'était sans-dessein mais c'est ça qui faisait son charme... C'est vrai ! On sentait qu'y'était pas dangereux, lui... Mais Madeleine a été plus vite que moi...

MADELEINE. Arrêtez donc de parler de moi comme si j'étais pas là ! Pis parlez pas d'Alex comme ça, ça me gêne...

ALBERTINE À 50 ANS. On te l'enlèvera pas, ta merveille...

ALBERTINE À 40 ANS. Ah ! Seigneur, non !

MADELEINE. Croyez-moi pas si vous voulez pas... Vous avez sûrement des raisons de les haïr, les hommes... *(Elle sourit.)* Moi, j'en ai pas... Mon bonheur est peut-être un ben p'tit bonheur, ben insignifiant, ben plate, mais... *(Silence.)* C'est drôle, hein, j'veux pas le savoir. J'pense... que j'aime mieux un p'tit bonheur médiocre qu'un grand malheur tragique. *(Silence.)* Quand les deux p'tits pinceaux de lumière vont tourner le coin de la route, tout à l'heure, dites-vous bien que j'vas être parfaitement heureuse... pis que j'veux pas en discuter.

ALBERTINE À 70 ANS *(doucement).* Ça fait tellement longtemps que t'es partie, Madeleine, que j'arrive pas à te voir clairement. J'me rappelle très bien de toi mais ton image est floue... J'sais que t'étais ben fine... Tant qu'à ça, j'pense que t'étais la plus fine de la famille. Ah ! Gabriel pis Édouard étaient ben fins eux autres aussi... mais c'étaient des hommes... T'étais tellement patiente, toi...

MADELEINE. Tu parles de moi au passé. Ça veut dire que chus pus là, hein ?

ALBERTINE À 70 ANS. Non. T'es partie... ah... j'travaillais encore au parc Lafontaine, imagine... Ça fait vingt quequ's'années...

MADELEINE. J'aurai pas vécu longtemps... J'ai-tu été heureuse jusqu'au bout ?

ALBERTINE À 70 ANS. Viens, viens t'asseoir à côté de moi... *(Madeleine s'installe aux pieds de sa sœur.)* J'pensais que tes cheveux étaient plus rouges que ça...

MADELEINE. Rouges ?

ALBERTINE À 70 ANS. Y me semblait que c't'été-là, tes cheveux étaient plus rouges...

MADELEINE. C'tait le soleil...

ALBERTINE À 30 ANS. Moi, quand bien même j'resterais trois ans au soleil, mes cheveux resteraient noirs comme le poêle !

ALBERTINE À 70 ANS. Quand t'es partie, j'ai perdu ma seule confidente... Le téléphone a pus sonné... Ah ! on se voyait pas souvent depuis longtemps parce que t'avais pas pris que j'tourne le dos à mes enfants, comme ça... même si au fond, j'pense que tu comprenais... mais on s'était remis à se téléphoner, juste pour se donner des nouvelles, au commencement, pis ensuite parce qu'on avait eu envie de se revoir... Pis quand tu m'as emmené ta petite-fille pour la première fois pis que j'ai vu à quel point t'avais engraissé... j'ai tellement ri ! C'est peut-être pour ça, tant qu'à ça, que j'ai de la misère à me rappeler de toi... Les dernières fois que je t'ai vue t'étais tellement grosse...

MADELEINE. Exagère pas !

ALBERTINE À 70 ANS. Ben...

ALBERTINE À 50 ANS. On se reconnaissait pus ni l'une ni l'autre ! J'm'étais tellement ennuyée !

Silence.

MADELEINE. Bartine... J'ai-tu ben souffert avant de mourir ?

ALBERTINE À 70 ANS *(après une hésitation)*. Oui... Va-t'en pas... reste encore un peu avec moi... la nuit va être longue.

MADELEINE. C'est vrai que ça sent drôle, ici...

ALBERTINE À 70 ANS. Tu vois, j'le sens déjà pus... j'avais déjà oublié ça...

ALBERTINE À 30 ANS. Y commence à faire frisquette, hein ?

MADELEINE. C'est parce que t'es pas habituée. C'est le mois d'août, t'sais, l'été achève. Mais tu vas voir comme on dort bien, ici !

ALBERTINE À 70 ANS. J'espère...

MADELEINE. Veux-tu une veste ?

ALBERTINE À 30 ANS. Non, non...

ALBERTINE À 40 ANS. Ça fait longtemps qu'y'a pas faite froid comme ça si de bonne heure... Un autre été pourri !

ALBERTINE À 30 ANS. J'veux attendre de voir arriver les deux pinceaux de lumière de ton prince charmant... *(Elles se sourient.)* J'aimerais ça être loin de la maison, tout d'un coup... Peut-être sur le toit de la montagne, en face... La maison doit avoir l'air tellement p'tite, de là... Ferme les yeux, on va essayer de s'imaginer qu'on est là... La vois-tu, au fond, là-bas ? Une p'tite lumière qui brille au bord de la nuit ? Ç'a l'air tellement paisible, de loin... pis plaisant. Y'a deux femmes, su'a'galerie. J'me demande de quoi y peuvent ben parler. Y'ont l'air heureuses. Toutes les deux. *(Silence.)* Trouves-tu qu'y'ont l'air heureuses, toi, toutes les deux ?

MADELEINE. Oui.

ALBERTINE À 30 ANS. On va-tu faire un tour ? D'un coup qu'y nous montreraient comment faire... Toi, tu le sais, mais moi...

ALBERTINE À 40 ANS. Y fait tellement noir ! Comment ça se fait qu'y'ont pas encore allumé les lampadaires ?

ALBERTINE À 50 ANS. C'est parce que la lune est pas encore levée qu'y fait noir comme ça. J'aime ça. J'me sens enveloppée.

ALBERTINE À 30 ANS. D'habitude j'ai peur du noir, mais là, j'aimerais ça rentrer dedans... J'ai jamais le temps de penser que le monde existe, immense pis épeurant, en ville. *(Silence.)* En ville, le monde est petit.

ALBERTINE À 40 ANS. Ça m'étouffe, le noir. On dirait que le monde se referme sur moi !

ALBERTINE À 30 ANS. En ville, le monde existe pas.

ALBERTINE À 50 ANS. Quand j'étais petite, j'rêvais, des fois, qu'y'avait rien en dehors de l'école... Que l'école c'tait le monde. Un monde avec rien que des enfants. Juste des petites filles qui dansent à'corde.

ALBERTINE À 30 ANS. Ça y'est, ça s'en vient... j'vas brailler ! Non. Pas encore. Ça ferait tellement de bien, pourtant, une bonne grosse braille !

ALBERTINE À 40 ANS. J'essaye, des fois. Dans mon lit. J'rentre ben loin en dedans de moi, j'me dis : "Y faut que tu brailles, ça va te faire du bien..." Mais j'y arrive pas. J'ai pas de raisons de pleurer, j'ai juste des raisons de hurler ! Quand j'vois Thérèse arriver, les lendemains de la veille, poquée pis encore éméchée, trop fine avec moi parce qu'a'se sent coupable d'avoir bu mais quand même baveuse parce que c'est sa seule façon de me montrer son indépendance, comment voulez-vous que je pleure ? J'crie ! Pis a'me répond sur le même ton ! Pis j'crie plus fort pour l'enterrer ! Là, moman se met de la partie, a'sort tout c'qu'a'l'a contre nous autres... On pourrait se planter ben droites au milieu du salon, toutes les trois, pis hurler sans arrêter en se regardant dans les yeux, pis ça donnerait exactement la même chose. On écoute pas c'qu'on dit, on s'écoute crier ! Thérèse a fini au French Casino, sur la rue Saint-Laurent, au milieu des guidounes, des drogués, pis des soûlons, c'est de ses affaires. Moi, j'ai élevé deux enfants pour rien pis j'me sens coupable parce que j'ai l'impression que j'les ai mal dirigés, pis ça me tue, c'est de mes affaires. Moman a été obligée de quitter la maison de Duhamel pour venir s'installer à Montréal pis a'l'a jamais pris, c'est de ses affaires. Trois générations parfaites.

ALBERTINE À 70 ANS. Pis au lieu d'essayer de vous comprendre les unes les autres, vous vous lancez vos malheurs par la tête...

Albertine à quarante ans la regarde.

ALBERTINE À 40 ANS. J'ai assez de mes problèmes, j'veux pas endosser ceux des autres !

ALBERTINE À 70 ANS. C'est pour ça que vous arriverez jamais à rien.

ALBERTINE À 50 ANS *(à Albertine à quarante ans).* Pis t'essayais tout à l'heure de nous convaincre que t'étais intelligente !

ALBERTINE À 40 ANS. Mais j'y peux rien, à leurs problèmes ! J'ai jamais mis le pied sur la rue Saint-Laurent parce que j'ai trop peur pis j'ai passé une semaine à Duhamel dans toute ma vie !

ALBERTINE À 50 ANS. C'est pas ça leurs problèmes ! De toute façon y te demandent pas de les régler, leurs problèmes, y te demandent juste de les écouter !

ALBERTINE À 40 ANS. Y m'écoutent pas, pourquoi j'les écouterais ?

Albertine à cinquante et soixante-dix ans soupirent d'exaspération.

ALBERTINE À 50 ANS. Ça sert vraiment à rien d'essayer de discuter avec toi, hein...

Madeleine se lève, se dirige vers Albertine à cinquante ans.

MADELEINE. Comment tu l'as appris que... j'étais partie ?

ALBERTINE À 50 ANS. Le téléphone a sonné, ici, un soir. J'avais mon manteau su'l'dos, j'étais prête à partir...

MADELEINE. Ç'a dû être un choc...

ALBERTINE À 50 ANS. Non... On s'y attendait depuis longtemps. Tu sais, t'étais ben malade depuis longtemps...

MADELEINE. J'veux pas en savoir plus...

Elle se sauve vers la maison de Duhamel, se réfugie près d'Albertine à trente ans.

ALBERTINE À 50 ANS. Au lieu de m'en aller chez nous, j'ai tu-suite couru chez vous pour essayer de consoler Alex...

ALBERTINE À 30 ANS. C'tu lui ? 'gard', y'a des lumières qui s'en viennent, sur la route...

MADELEINE. Non, sont trop grosses... ça doit être un camion.

ALBERTINE À 50 ANS. Mais... Alex était pas consolable.

ALBERTINE À 40 ANS. Pendant tout ce temps-là, Marcel rôde autour de nous trois en nous guettant... Au lieu de pleurer de peur quand on crie trop fort, y rit... un petit rire nerveux qui m'exaspère ! Dans ses yeux fous, y'a comme... j'sais pas... une supplication... comme si y disait : "Chicanez-vous pas, ça me fait rire de peur !" *(Silence. Elle hurle.)* Si j'les avais étranglés tou'es deux quand j'ai vu qu'y'étaient pas normaux, j's'rais pas obligée de toute endurer ça, aujourd'hui !

ALBERTINE À 60 ANS. Encore la culpabilité...

ALBERTINE À 40 ANS. Ben oui ! Ben oui ! On a été dressées à ça, que c'est que tu veux !

ALBERTINE À 70 ANS *(à Albertine à soixante ans)*. De quoi tu peux ben te sentir coupable, toi, t'es droguée jusqu'aux yeux !

ALBERTINE À 60 ANS. Tiens, tu te rends compte de ma présence, tout d'un coup !

ALBERTINE À 70 ANS. Faut ben, tu te mêles à tout c'qu'on dit...

ALBERTINE À 60 ANS. Pourquoi j'aurais pas le droit de parler, moi ? T'as honte ?

ALBERTINE À 70 ANS. Oui.

ALBERTINE À 60 ANS. Tant qu'à ça, t'as ben raison... Continue à avoir honte, pis achale-moi pus...

ALBERTINE À 70 ANS. J't'ai posé une question...

ALBERTINE À 60 ANS. Fais pas comme si tu te rappelais pas de la réponse... Chus pas assez loin en arrière de toi pour que t'ayes déjà toute oublié !

ALBERTINE À 70 ANS. J'veux te l'entendre dire à voix haute...

ALBERTINE À 60 ANS. Pourquoi, si tu t'en rappelles ?

ALBERTINE À 70 ANS. Pour vérifier... si mes souvenirs sont aussi effrayants que je pense... pis pour recommencer à choisir...

ALBERTINE À 60 ANS. C'est vrai que je l'ai jamais conté à personne... j'ai toujours gardé ça pour moi... R'garde... mes mains tremblent... j'ai la bouche sèche... mais y faut que j'attende encore une demi-heure avant d'en prendre une autre... sinon ça va me rendre malade au lieu de me soulager... Une fois... que la douleur était trop forte... j'en ai pris trois... pour voir... j'me sus retrouvée à terre à côté du lit... j'avais perdu connaissance pendant des heures... Mais chus tellement bien, si vous saviez... quand j'exagère pas. C'est merveilleux, ces affaires-là, vous savez ! Ça... ça allège, comme m'a dit le docteur, la première fois... J'sens pus le nœud dans ma gorge, pis le poids sur mon cœur... j'respire librement... ça vibre autour de moi comme si j'entendais le moteur des choses... C'est vrai... Des fois, j'm'étends sur mon lit pis j'écoute le moteur des choses... Le monde est une grande horloge pis tout sert à quequ'chose...

ALBERTINE À 40 ANS. Même toi ?

ALBERTINE À 60 ANS *(en regardant Albertine à cinquante ans).* J'sers à payer pour ceux qu'y'ont pas de cœur. J'me sus faite accroire, un temps, que tout allait ben... j'ai pris mon bord en pensant que le reste du monde me suivrait pas... mais y m'a suivie !

ALBERTINE À 50 ANS. Non !

ALBERTINE À 60 ANS. Ah oui, y m'a suivie !

ALBERTINE À 50 ANS. J'te crois pas !

ALBERTINE À 60 ANS. C'est dans ton intérêt de pas me croire... garde tes illusions le plus longtemps possible... gagne du temps, y t'en reste déjà pas assez...

ALBERTINE À 40 ANS. Que c'est qu'y'est tant arrivé pour que tu retombes si bas ?

ALBERTINE À 60 ANS *(à Albertine à soixante-dix ans).* T'en rappelles-tu, là ?

ALBERTINE À 70 ANS. Ben oui... je l'ai jamais oublié...

ALBERTINE À 60 ANS. Un bon matin, la police est venue sonner à'porte... J'me préparais à aller travailler... J'chantais... J'ai tu-suite compris que quequ'chose était arrivé à Thérèse... J'me sus dit, comme ça, pendant que les deux policiers s'installaient dans le salon avec des mines basses : "Ça y est, dans une minute ou deux, le monde va s'écrouler sur mes épaules..." Pis le monde s'est écroulé sur mes épaules... *(Silence. Très doucement.)* Y m'ont dit qu'y'avaient trouvé Thérèse dans une chambre de la rue Saint-Laurent... Y savaient pas encore si 'était morte naturellement ou ben donc si quelqu'un... A'baignait dans son sang... Y fallait que j'aille reconnaître le corps parce que j'étais sa parente la plus proche... Aïe, sa parente la plus proche... j'comprends... c'est moi qui l'avais faite ! Pis son mari, ben, y'avait disparu dans' brume depuis longtemps, comme j'avais toujours su que ça arriverait... Avec le monde écroulé sur mes épaules, j'ai été reconnaître le corps. Quand j'ai vu... sa face toute boursouflée... les taches de sang partout... la blancheur de sa peau...

ALBERTINE À 40 ANS. La culpabilité...

ALBERTINE À 60 ANS. C'est-tu là que ma vie menait, que j'me sus demandé... C'est-tu le prix que j'ai à payer pour quequ's'années de tranquillité ? C'est-tu ici, aujourd'hui, l'aboutissement de tout ça ? C'est-tu moi qui l'a rendue là... ma fille... que j'ai jamais su tenir ? Ou ben tout ça arrive-tu juste pour me punir ? Et de quoi ? *(À Albertine à cinquante ans.)* Me punir de toi ?

ALBERTINE À 50 ANS. J'veux pas ! C'est pas vrai !

ALBERTINE À 60 ANS. Quand même que tu voudrais pas... Si t'es t'assez naïve pour penser que ta vie dépend juste de toi, tant pis pour toi ! Vas-y, continue à penser que t'as le choix ! Que tu peux choisir la liberté pis finir tes jours à faire des sandwiches aux tomates salade mayonnaise pour une ribambelle de clients qui vont te remercier jusqu'à la fin des temps ! Tu m'en diras des nouvelles quand le monde s'écroulera autour de toi pis que tu te retrouveras tu-seule devant absolument rien d'autre que la bonne vieille culpabilité ! C'est toujours comme ça qu'on s'est fait avoir, pis on a pas encore appris ! Sais-tu quoi ? J'aurais peut-être dû danser sur la tombe de mon enfant, en signe de victoire, parce qu'elle, elle l'a choisi, son destin !

Elle se couvre la bouche.

ALBERTINE À 40 ANS. C'est comme ça que t'as commencé...

ALBERTINE À 60 ANS. Les pilules ? Disons que j'ai eu la chance de rencontrer un docteur compréhensif.

ALBERTINE À 70 ANS. Y t'a dit de pas exagérer...

ALBERTINE À 60 ANS. J'exagère pas...

ALBERTINE À 70 ANS. Pas encore...

ALBERTINE À 60 ANS. Des fois j'ai pas le choix... c'est ça ou la folie... J'la sens venir... je revois Thérèse... Marcel, aussi, qui s'est définitivement retiré en lui-même... *(Elle lève les bras en croix.)* Le monde... explose ! La rage revient !

ALBERTINE À 70 ANS. Un jour... un soir, plutôt... la culpabilité va être trop forte... tu vas en prendre une de trop...

ALBERTINE À 60 ANS. Tant mieux ! Tant mieux ! On sait jamais ! La porte que j'vas ouvrir va peut-être mener quequ'part d'endurable ! Là où j'vas aboutir, ça va peut-être être moins pire qu'ici !

Albertine à soixante-dix ans regarde autour d'elle.

ALBERTINE À 70 ANS. Tant qu'à ça, c'est vrai, c'est moins pire, en fin de compte. Y vont te ressusciter, te désintoxer, pis te mettre dans un nouveau chez-vous, comme y disent... Y vont te guérir de tout, sauf de tes souvenirs...

MADELEINE. Y va arriver en retard... Ça y arrive quand y va trop loin... J'vas rentrer, y fait trop froid.

ALBERTINE À 30 ANS. J'vas rester encore un peu dehors.

MADELEINE. Veux-tu une veste ?

ALBERTINE À 30 ANS. Oui... r'garde, j'ai la chair de poule...

MADELEINE. On reparlera de tout ça demain...

ALBERTINE À 30 ANS. C'est ça, on en reparlera demain...

MADELEINE *(en regardant vers la route)*. Si y'arrive avant que tu te couches, dis-y de pas faire de train. Si je dors, y me réveillera pas... pis si j'dors pas, j'y ferai savoir d'une façon ou d'une autre...

ALBERTINE À 70 ANS. Madeleine...

MADELEINE. Oui...

ALBERTINE À 70 ANS. De toute façon... ça vaut pas la peine de vieillir...

Madeleine sort.

Silence.

Albertine à quarante ans éteint sa cigarette dans un cendrier, se prépare à rentrer dans la maison. Albertine à cinquante ans essuie son comptoir. Albertine à soixante ans débouche péniblement son contenant de médicaments. Albertine à soixante-dix ans soupire.

ALBERTINE À 30 ANS. Tu-seule au milieu du monde.

ALBERTINE À 50 ANS. J'vas toute faire, toute, pour que rien de tout ça arrive !

ALBERTINE À 60 ANS. Bonne chance...

ALBERTINE À 40 ANS. Si Thérèse peut arriver... Si a'peut pas avoir faite la folle, à soir...

ALBERTINE À 70 ANS. À c't'heure, rien va se passer... Tant qu'à ça, c'est aussi ben de même... Une femme vide devant une télévision vide dans une chambre vide qui sent pas bon. *(Silence.)* C'est-tu ça qu'on appelle une vie bien remplie ?

Silence.

ALBERTINE À 50 ANS. R'gardez...

ALBERTINE À 40 ANS. Quoi...

ALBERTINE À 50 ANS. La v'là... la lune !

Les quatre Albertine regardent vers le ciel.

ALBERTINE À 60 ANS. J'vois pas trop ben... oùsque j'ai mis mes lunettes, donc...

Elle les trouve, les chausse.

ALBERTINE À 70 ANS. Comme c'est beau...

ALBERTINE À 40 ANS. Oui, c'est beau... même d'ici, c'est beau.

ALBERTINE À 30 ANS. 'Est tellement grosse...

ALBERTINE À 60 ANS. ... pis rouge...

Silence.

ALBERTINE À 50 ANS. On dirait qu'en étirant le bras on pourrait la toucher...

ALBERTINE À 60 ANS. Elle aussi est tu-seule...

Les cinq Albertine lèvent très lentement le bras vers la lune.

ALBERTINE À 70 ANS. Touchez-y... c'est peut-être la même...

LES CINQ ALBERTINE *(comme si elles avaient un contact physique)*. Haaa...

La lune, solitaire et rouge sang, se lève.

NOTICE

Albertine, en cinq temps a été créée au Théâtre français du Centre national des Arts, à Ottawa, le 12 octobre 1984 dans une mise en scène d'André Brassard. Les décors étaient de Guy Nepveu, les costumes de François Barbeau, les maquillages de Jacques Lafleur, les éclairages de Michel Beaulieu. Avec Paule Marier (Albertine à trente ans), Rita Lafontaine (Albertine à quarante ans), Amulette Garneau (Albertine à cinquante ans), Gisèle Schmidt (Albertine à soixante ans), Huguette Oligny (Albertine à soixante-dix ans), Murielle Dutil (Madeleine).

DU MÊME AUTEUR

ROMANS, RÉCITS ET CONTES

Contes pour buveurs attardés, Éditions du Jour, 1966; BQ, 1996
La cité dans l'œuf, Éditions du Jour, 1969; BQ, 1997
C't'à ton tour, Laura Cadieux, Éditions du Jour, 1973; BQ, 1997
Le cœur découvert, Leméac, 1986; Babel, 1995
Les vues animées, Leméac, 1990; Babel, 1999
Douze coups de théâtre, Leméac, 1992; Babel, 1997
Le cœur éclaté, Leméac, 1993; Babel, 1995
Un ange cornu avec des ailes de tôle, Leméac/Actes Sud, 1994; Babel, 1996
La nuit des princes charmants, Leméac/Actes Sud, 1995; Babel, 2000
Quarante-quatre minutes, quarante-quatre secondes, Leméac/Actes Sud, 1997
Hotel Bristol, New York, N.Y., Leméac/Actes Sud, 1999
L'homme qui entendait siffler une bouilloire, Leméac/Actes Sud, 2001
Bonbons assortis, Leméac/Actes Sud, 2002
Le cahier noir, Leméac/Actes Sud, 2003
Le cahier rouge, Leméac/Actes Sud, 2004
Le cahier bleu, Leméac/Actes Sud, 2005
Le gay savoir, Leméac/Actes Sud, coll. « Thesaurus », 2005
Le trou dans le mur, Leméac/Actes Sud, 2006

CHRONIQUES DU PLATEAU-MONT-ROYAL

La grosse femme d'à côté est enceinte, Leméac, 1978; Babel, 1995
Thérèse et Pierrette à l'école des Saints-Anges, Leméac, 1980; Grasset, 1983; Babel, 1995
La duchesse et le roturier, Leméac, 1982; Grasset, 1984; BQ, 1992

Des nouvelles d'Édouard, Leméac, 1984 ; Babel, 1997
Le premier quartier de la lune, Leméac, 1989 ; Babel, 1999
Un objet de beauté, Leméac/Actes Sud, 1997
Chroniques du Plateau-Mont-Royal, Leméac/Actes Sud, coll. « Thesaurus », 2000

THÉÂTRE

En pièces détachées, Leméac, 1970
Trois petits tours, Leméac, 1971
À toi, pour toujours, ta Marie-Lou, Leméac, 1971 ; Leméac/Actes Sud-Papiers, 2007
Les belles-sœurs, Leméac, 1972 ; Leméac/Actes Sud-Papiers, 2007
Demain matin, Montréal m'attend, Leméac, 1972 ; 1995
Hosanna suivi de *La Duchesse de Langeais*, Leméac, 1973 ; 1984
Bonjour, là, bonjour, Leméac, 1974
Les héros de mon enfance, Leméac, 1976
Sainte Carmen de la Main, Leméac, 1976
Damnée Manon, sacrée Sandra suivi de *Surprise ! Surprise !*, Leméac, 1977
L'impromptu d'Outremont, Leméac, 1980
Les anciennes odeurs, Leméac, 1981
Le vrai monde ?, Leméac, 1987
Nelligan, Leméac, 1990
La maison suspendue, Leméac, 1990
Le train, Leméac, 1990
Théâtre I, Leméac/Actes Sud-Papiers, 1991
Marcel poursuivi par les chiens, Leméac, 1992
En circuit fermé, Leméac, 1994
Messe solennelle pour une pleine lune d'été, Leméac, 1996
Encore une fois, si vous permettez, Leméac, 1998
L'état des lieux, Leméac, 2002
Le passé antérieur, Leméac, 2003
Le cœur découvert – scénario, Leméac, 2003
L'impératif présent, Leméac, 2003
Bonbons assortis au théâtre, Leméac, 2006
Théâtre II, Leméac/Actes Sud-Papiers, 2006

Ouvrage réalisé
par Luc Jacques, typographe
Achevé d'imprimer
en octobre 2022
sur les presses
de Marquis Imprimeur
pour le compte de
Leméac Éditeur
Montréal, Canada
et des Éditions
ACTES SUD
Arles, France

Dépôt légal
1re édition : août 2007
(ÉD. 01 / IMP. 11)
Imprimé au Canada